F.M. DOSTOÏEVSKI

NOTES
D'UN SOUTERRAIN

Introduction de
Tzvetan TODOROV

Traduction et notes de
Lily DENIS

Bibliographie de
Tzvetan TODOROV
mise à jour par
Wladimir TROUBETZKOY

D1207772

GF Flammarion

La littérature russe
dans la même collection

© 1972, Aubier, Paris.
© 1992, Flammarion, Paris, pour cette édition.
ISBN : 2-08-070683-7

INTRODUCTION

UNE EXPLICATION DU TEXTE

« Une trouvaille fortuite dans une librairie : *Notes d'un souterrain,* de Dostoïevski... La voix du sang (comment l'appeler autrement ?) se fit aussitôt entendre, et ma joie fut extrême » (Friedrich Nietzsche, *Lettre à Overbeck*).

« Je crois que nous atteignons, avec les *Notes d'un souterrain,* le sommet de la carrière de Dostoïevski. Je le considère, ce livre (et je ne suis pas le seul), comme la clé de voûte de son œuvre entière » (André Gide, *Dostoïevski*).

« Les *Notes d'un souterrain...* : aucun autre texte du romancier n'a exercé plus d'influence sur la pensée et sur la technique romanesque du vingtième siècle » (George Steiner, *Tolstoï ou Dostoïevski*).

On pourrait allonger la liste des citations : ce n'est guère nécessaire ; chacun connaît aujourd'hui le rôle central de ce livre tant dans l'œuvre de Dostoïevski que dans le mythe dostoïevskien, propre à notre époque.

Mais si la réputation de Dostoïevski n'est plus à faire, il n'en va pas de même pour l'exégèse de son œuvre. Les écrits critiques qu'on lui a consacrés sont, on s'en doute, très nombreux ; le problème est qu'ils ne s'occupent qu'exceptionnellement des œuvres de Dostoïevski. Celui-ci, en effet, a d'abord eu le mal-

heur de vivre une vie mouvementée : quel érudit- bio-
graphe aurait résisté devant cette conjonction des
années passées au bagne avec la passion pour le jeu,
l'épilepsie et les tumultueuses relations amoureuses ?
Ce seuil dépassé, on se heurte à un second : Dostoïevski
a également eu le malheur de s'être passionnément
intéressé aux problèmes philosophiques et religieux de
son temps ; il a transmis cette passion à ses personnages,
elle est présente dans ses livres. Il est rare que les
critiques parlent de « Dostoïevski-l'écrivain », comme
on disait naguère : tous se passionnent pour ses « idées »,
oubliant qu'on les trouve à l'intérieur de romans. Et
d'ailleurs, à supposer qu'ils changent de perspective, le
danger n'aurait pas été évité, on n'aurait fait que l'in-
verser : peut-on étudier la « technique » chez Dostoïevski, faisant abstraction des grands débats idéologi-
ques qui animent ses romans (Chklovski prétendait que
Crime et Châtiment était un pur roman policier, avec
cette seule particularité que l'effet de « suspense » était
provoqué par des débats philosophiques) ? Proposer
aujourd'hui une lecture de Dostoïevski, c'est, en
quelque sorte, relever un défi : on doit parvenir à intégrer en un tout cohérent les « idées » de Dostoïevski et sa
« technique » sans privilégier indûment l'un ou l'autre.
Ou plutôt, cette lecture ne saurait être réussie à moins
qu'elle n'annule le « et » disjonctif qui sépare « forme » et
« signification », à moins qu'elle ne prouve l'unité
absolue du texte.
    L'erreur courante de la critique d'interprétation
(comme distincte de celle d'érudition) a été d'affirmer
1) que Dostoïevski est un *philosophe*, faisant abstraction de la « forme littéraire » ; et 2) que Dostoïevski est
un philosophe, alors que même le regard le moins
prévenu est immédiatement frappé par la diversité des
conceptions philosophiques, morales, psychologiques
qui se côtoient dans son œuvre. Comme l'écrit Bakhtine, au début d'une étude sur laquelle on aura à
revenir : « Lorsqu'on aborde la vaste littérature
consacrée à Dostoïevski, on a l'impression d'avoir
affaire, non pas à *un seul* auteur-artiste qui aurait écrit

des romans et des nouvelles, mais à toute une série de
philosophes, à *plusieurs* auteurs-penseurs : Raskolnikov, Mychkine, Stavroguine, Ivan Karamazov, le
Grande Inquisiteur et d'autres... »

Les *Notes d'un souterrain* sont, plus que tout autre
écrit de Dostoïevski – sauf peut-être la « Légende du
Grand Inquisiteur » –, responsables de cette situation.
On a eu l'impression, en lisant ce texte, de disposer
d'un témoignage direct de Dostoïevski-l'idéologue.
C'est donc par lui aussi que nous devons commencer
si nous voulons lire Dostoïevski aujourd'hui, ou, plus
généralement, si nous voulons comprendre en quoi
consiste son rôle dans cet ensemble sans cesse en
transformation que nous nommons *littérature*.

Les *Notes d'un souterrain* se divisent en deux parties,
intitulées « Le Souterrain » et « A propos de neige
fondue », et Dostoïevski lui-même les décrit ainsi :
« Dans le présent fragment, que j'intitule "Le souterrain", le personnage se présente lui-même, présente sa
vision des choses et cherche, en quelque sorte, à tirer
au clair les raisons pour lesquelles il est apparu, pour
lesquelles il devait apparaître dans notre milieu. Le
fragment suivant offrira, cette fois à proprement
parler, les "Notes" de ce personnage sur certains événements de sa vie. » C'est dans la première partie,
plaidoirie du narrateur, que l'on a toujours trouvé
l'exposé des idées les plus « remarquables » de Dostoïevski. C'est par là aussi que nous entrerons dans le
labyrinthe de ce texte – sans savoir encore par où nous
pourrons en sortir.

L'idéologie du narrateur

Le premier thème qu'attaque le narrateur est celui
de la conscience *(soznanie)*. Ce terme est à prendre
ici, par opposition non à l'inconscient, mais à l'inconscience. Le narrateur esquisse le portrait de deux
types d'hommes : l'un est l'homme simple et direct
(neposredstvennyj), « l'homme de la nature et de la

vérité » (en français dans le texte) qui, en agissant, ne possède pas d'image de son action ; l'autre, l'homme conscient. Chez celui-ci, toute action se double par l'image de cette action, qui surgit dans sa conscience. Plus encore, cette image surgit avant que l'action n'ait eu lieu, et, de ce fait, la rend impossible. L'homme de conscience ne peut être homme d'action. « Car le fruit direct, légitime, immédiat de la conscience, c'est l'inertie, c'est le croisement-de-bras-délibéré... Je le répète, je l'archi-répète : si tous les hommes directs et les hommes d'action sont actifs, c'est précisément parce qu'ils sont obtus et bornés. »

Prenons, par exemple, le cas d'une insulte qui « normalement » aurait suscité la vengeance. C'est bien ainsi que se comporte l'homme d'action. « Tenez, admettons qu'ils soient pris d'une envie de vengeance : plus rien d'autre ne subsistera en eux aussi longtemps qu'elle durera. Un monsieur de cette espèce fonce droit au but sans autre forme de procès, comme un taureau furieux, les cornes baissées ; seul un mur serait capable de l'arrêter. » Il n'en va pas de même pour l'homme de conscience. « Je vous l'ai dit : l'homme cherche à se venger parce qu'il trouve cela juste... Or moi je n'y vois aucune justice, je n'y trouve aucune vertu, et par conséquent, si j'entreprenais de me venger, ça ne pourrait être que par méchanceté. Évidemment, la méchanceté pourrait l'emporter sur tout, sur tous mes doutes, et par conséquent me servir avec un succès certain de cause première, précisément parce que ce n'est pas une cause du tout. Mais que faire si je ne suis même pas méchant ?... Ma hargne – et une fois de plus par suite de ces maudites lois de la conscience – est susceptible de décomposition chimique. Hop ! Et voilà l'objet volatilisé, les raisons évaporées, le coupable disparu ; l'offense cesse d'être une offense pour devenir fatalité, quelque chose comme une rage de dents dont personne n'est responsable, ce qui fait qu'il ne me reste toujours que la seule et même issue : taper encore plus douloureusement contre le mur. »

Le narrateur commence par déplorer cet excès de

conscience (« Je vous en donne ma parole, messieurs : l'excès de conscience est une maladie, une véritable, une intégrale maladie. Pour les usages de la vie courante, l'on aurait plus qu'assez d'une conscience humaine ordinaire, c'est-à-dire de la moitié, du quart de la portion qui revient à l'homme évolué de notre malheureux dix-neuvième siècle ») ; mais au bout de son raisonnement il s'aperçoit que c'est tout de même là le moindre mal : « Bien que j'aie, au début, porté à votre connaissance que la conscience était, à mon avis, le plus grand malheur pour l'homme, je sais cependant qu'il y tient et qu'il ne l'abandonnerait contre aucune satisfaction. » « La fin des fins, messieurs, est ne rien faire du tout. Mieux vaut l'inaction consciente ! »

Cette affirmation a un corrélat : la solidarité entre conscience et souffrance. La conscience provoque la souffrance, condamnant l'homme à l'inaction ; mais en même temps elle en est le résultat : « La souffrance... mais voyons, c'est l'unique moteur de la conscience ! » Ici intervient un troisième terme, la jouissance, et nous nous trouvons en face d'une affirmation très « dostoïevskienne » ; contentons-nous pour l'instant de l'exposer sans chercher à l'expliquer. A plusieurs reprises, le narrateur affirme qu'au sein de la plus grande souffrance, à condition d'en prendre bien conscience, il trouvera une source de jouissance, « une jouissance qui atteint parfois le comble de la volupté ». En voici un exemple : « J'en arrivai au point d'éprouver une jouissance secrète, anormale, une petite jouissance ignoble à rentrer dans mon coin perdu par une de ces nuits particulièrement dégoûtantes, que l'on voit à Petersbourg, et à me sentir archi-conscient d'avoir, ce jour-là, commis une fois de plus quelque chose de dégoûtant, qu'une fois de plus ce qui était fait était fait, et au fond de moi-même, en secret, à me ronger, me ronger à belles dents, à me tracasser, à me tourner les sangs, jusqu'au moment où l'amertume faisait enfin place à une douceur infâme, maudite, et enfin

à une définitive, une véritable jouissance. Oui, je dis
bien une jouissance. [...] Je m'explique : la jouissance
venait justement de la conscience excessivement
claire que j'avais de mon avilissement, de ce que je
me sentais acculé au tout dernier mur ; que certes
cela allait très mal, mais qu'il ne pouvait en être
autrement... » Et encore : « Mais c'est précisément
dans cette semi-confiance et ce semi-désespoir odieusement froids, dans ce chagrin qui vous pousse, en
toute lucidité, à vous enterrer tout vif dans votre souterrain, plongé au prix de grands efforts dans une
situation sans issue et cependant douteuse, dans le
poison de ces désirs insatisfaits et rentrés, dans cette
fièvre d'hésitations, de résolutions irrévocables suivies
de regrets presque immédiats, que réside le suc de
l'étrange jouissance dont j'ai parlé. »

Cette souffrance que la prise de conscience transforme en jouissance peut aussi être purement physique ; ainsi du mal aux dents. Voici la description d'un
« homme cultivé » au troisième jour de sa maladie :
« Ses gémissements se font écœurants, hargneux,
infects et durent des jours et des nuits entières. Pourtant il sait bien qu'il n'en tirera aucun avantage ; il sait
mieux que personne qu'il s'échine et s'énerve en pure
perte, et les autres avec lui ; il sait que même le public
devant lequel il s'escrime, et sa famille entière, se sont,
non sans répulsion, habitués à ses cris, qu'ils ne lui
font plus un liard de confiance et se rendent compte
sans rien dire, qu'il pourrait gémir autrement, avec
plus de simplicité, sans roulades ni contorsions, et que
s'il s'amuse à cela, ce n'est que par méchanceté et par
hypocrisie. Or, voyez-vous, c'est justement dans ces
états de conscience et de honte que se cache la
volupté. » C'est ce qu'on appelle le masochisme de
l'homme souterrain.

Sans liaison visible (mais ce n'est peut-être là
qu'une apparence), le narrateur passe à son deuxième
grand thème, qui est celui de la raison, de sa part dans
l'homme et de la valeur du comportement qui veut s'y
conformer exclusivement. Son argumentation prend à

peu près la forme suivante : 1. La raison ne connaîtra jamais que le « raisonnable », c'est-à-dire une « vingtième partie » seulement de l'être humain. 2. Or la partie essentielle de l'être est constituée par le désir, par le vouloir, qui n'est pas raisonnable. « Que sait la raison ? La raison ne sait que ce qu'elle a eu le temps d'apprendre (et il y a des choses qu'elle n'apprendra, je crois bien, jamais ; ce n'est pas une consolation, mais pourquoi ne pas le dire ?), tandis que la nature humaine agit dans tout son ensemble, avec tout ce qu'elle possède de conscient ou d'inconscient, et bien qu'elle dise faux, elle vit. » « La raison est une bonne chose, c'est indiscutable, mais la raison n'est jamais que la raison et ne satisfait que la faculté raisonnante de l'homme, tandis que le vouloir est la manifestation de toute la vie d'un homme, y compris sa raison et tout ce qui le démange. » 3. Il est donc absurde de vouloir fonder une manière de vivre – et de l'imposer aux autres – sur la raison seulement. « Par exemple vous voulez débarrasser l'homme de ses vieilles habitudes et redresser sa volonté conformément aux exigences de la science et du bon sens. Mais qu'est-ce qui vous dit que cela est non seulement possible mais *nécessaire* ? Qu'est-ce qui vous permet de conclure que le vouloir de l'homme a tellement *besoin* d'être redressé ? En un mot, d'où prenez-vous que ce redressement lui apportera un avantage réel ? » Dostoïevski dénonce donc ce déterminisme totalitaire au nom duquel on essaye d'expliquer toutes les actions humaines par référence aux lois de la raison.

Ce raisonnement se fonde sur quelques arguments, et entraîne, à son tour, certaines conclusions. Voici d'abord les arguments. Ils sont de deux types ; tirés d'une part de l'expérience collective, de l'histoire de l'humanité : l'évolution de la civilisation n'a pas amené le règne de la raison, il y a autant d'absurdité dans la société antique que dans le monde moderne. « Mais regardez bien autour de vous ! Il coule des fleuves de sang, et si joyeusement, par-dessus le marché, qu'on dirait du champagne. » Les autres arguments viennent de l'expérience personnelle du narrateur : que tous les désirs ne peuvent être expliqués par la raison ; que même s'ils le pouvaient, l'homme aurait agi différemment – exprès, pour les contredire ; que la théorie du déterminisme absolu est donc fausse ; et le narrateur défend, face à elle, le droit au caprice : voici ce que retiendra, de Dostoïevski, Gide. D'ailleurs, aimer la souffrance est contre la raison, or cela existe (comme on l'a vu précédemment et comme il nous le rappelle ici : « C'est que l'homme est quelquefois terriblement attaché à sa souffrance, c'est une véritable passion et un fait indiscutable. ») Il y a enfin un autre argument, qui doit parer une éventuelle objection. On pourrait en effet constater que la majorité des actions humaines obéissent, tout de même, à des buts raisonnables. La réponse ici est : ceci est vrai mais n'est qu'une apparence. En fait, même dans ces actions apparemment raisonnables, l'homme se soumet à un autre principe : il accomplit l'action pour elle-même, et non pour parvenir à un résultat. « L'essentiel n'est pas de savoir où elle va [la voie], mais seulement qu'elle avance. » « Mais l'homme est un être frivole et disgracieux ; peut-être, pareil au joueur d'échecs, ne s'intéresse-t-il qu'à la poursuite du but, et non au but lui-même. Et qui sait (on ne saurait en jurer) ? peut-être que le seul but vers lequel tende l'humanité sur cette terre réside dans la permanence de cette poursuite, autrement dit, dans la vie elle-même, et non dans le but proprement dit. »

Les conclusions qu'on tire de cette affirmation concernent tous les réformateurs sociaux (y compris les révolutionnaires) car ceux-ci s'imaginent qu'ils connaissent l'homme entier et ils ont déduit, à partir de ces connaissances en fait partielles, l'image d'une société idéale, d'un « palais de cristal » ; or leurs déductions sont fausses puisqu'ils ne connaissent pas l'homme ; ce qu'ils lui offrent, par conséquent, n'est pas un palais mais un « immeuble pour locataires pauvres », ou encore, un poulailler, ou encore, une fourmilière. « Voyez-vous, si au lieu d'un palais c'était un poulailler et, s'il se mettait à pleuvoir, je m'enfournerais peut-être dans le poulailler pour ne pas me laisser mouiller, mais sans aller, par gratitude, parce qu'il m'aurait abrité de la pluie, le prendre pour un palais. Vous riez, vous dites même que dans ce cas, poulailler ou demeure princière, c'est du pareil au même. Oui, vous répondrai-je, si l'on ne vivait que pour ne pas se laisser mouiller. » « En attendant, moi, je continuerai à ne pas prendre le poulailler pour un palais. » Le déterminisme totalisant est non seulement faux, mais aussi dangereux : à défaut de considérer les hommes comme une vis dans la machine, ou comme des « animaux domestiques », on va les y amener. C'est ce qu'on appelle l'anti-socialisme de Dostoïevski.

Le drame de la parole

Si les *Notes d'un souterrain* se limitaient à cette première partie, et celle-ci, aux idées qu'on vient d'exposer, on pourrait s'étonner de voir ce livre jouir de la réputation qui est la sienne. Non que les affirmations du narrateur soient inconsistantes. Il ne faut pas non plus, par une déformation de perspective, leur refuser toute originalité : les cent et quelques années qui nous séparent de la publication des *Notes* nous ont peut-être trop habitués à penser en termes proches de ceux de Dostoïevski. Néanmoins, la pure valeur philosophique, idéologique, scientifique de ces affirmations ne suffit certainement pas à distinguer ce livre parmi cent autres.

Mais ce n'est pas cela que nous lisons, lorsque nous ouvrons les *Notes d'un souterrain*. On ne lit pas un recueil de pensées mais un récit, un livre de fiction. Dans le miracle de cette métamorphose consiste la première véritable innovation de Dostoïevski. Il ne s'agit pas ici d'opposer la forme aux idées : lever l'incompatibilité du discursif et du mimétique est aussi une « idée », et de taille. Mais de refuser la réduction de l'œuvre à des phrases isolées, extraites de leur contexte, et attribuées directement au penseur Dostoïevski. Il faut donc maintenant, une fois que nous connaissons la substance des arguments qui seront présentés, voir comment ces arguments nous parviennent. Car plutôt qu'à l'exposé tranquille d'une idée, nous assistons à sa *mise en scène*. Et nous disposons, comme il se doit dans une situation dramatique, de plusieurs *rôles*.

Un premier rôle est attribué aux textes évoqués ou cités. Dès leur parution, les *Notes d'un souterrain* furent perçues par le public comme un écrit polémique. V. Komarovitch, dans les années 20, a explicité la majorité des références qui s'y trouvent dispersées ou dissimulées. Le texte se réfère à un ensemble idéologique qui domine la pensée libérale et radicale russe des années 40, 50 et 60 du dix-neuvième siècle. L'expression « le beau et le sublime », toujours entre guillemets, renvoie à Kant, à Schiller et à l'idéalisme allemand ; « l'homme de la nature et de la vérité », à Rousseau (on verra que le rôle de celui-ci est plus complexe) ; l'historien-positiviste Buckle est cité nommément. Mais l'adversaire le plus direct est un contemporain russe : Nicolaï Tchernychevski, maître à penser de la jeunesse radicale des années soixante, auteur d'un roman utopique et didactique, *Que Faire ?*, et de plusieurs articles théoriques, dont l'un est intitulé « Du principe anthropologique en philosophie ». C'est Tchernychevski qui défend le déterminisme totalisant, aussi bien dans l'article nommé que par l'intermédiaire de ses personnages (dans le cas précis, de Lopoukhov). C'est lui aussi qui fait rêver l'un de ses personnages (Véra Pavlovna) au palais de cristal, ce qui renvoie, indirectement, au phalanstère de Fourier et aux écrits de ses continuateurs russes. A aucun moment donc, le texte des *Notes* n'est simplement l'exposé impartial d'une idée ; nous lisons un dialogue polémique dont l'autre interlocuteur était bien présent à l'esprit des lecteurs contemporains.

A côté de ce premier rôle, qu'on pourrait appeler le

ils (= les discours antérieurs) surgit un second, celui de *vous*, ou l'interlocuteur représenté. Ce *vous* apparaît dès la première phrase, plus exactement, dans les points de suspension qui séparent « Je suis un homme malade » de « Je suis un homme méchant » : le ton change de la première à la deuxième proposition parce que le narrateur entend une réaction apitoyée à la première et, par la deuxième, la refuse. Aussitôt après, le *vous* apparaît dans le texte. « Et ça, je suis sûr que vous ne me faites pas l'honneur de le comprendre. » « Cependant, ne croyez-vous pas, messieurs, que je bats ma coulpe devant vous, que j'ai l'air de m'excuser de je ne sais quelle faute ?... C'est cela que vous croyez, j'en suis certain... » « Si, agacés par tout ce verbiage (et je le sens déjà, qu'il vous agace), vous vous avisez de me demander », etc.

Cette interpellation de l'auditeur imaginaire, la formulation de ses répliques supposées se poursuit tout au long du livre ; mais l'image du *vous* ne reste pas identique. Dans les six premiers chapitres de la première partie, le *vous* dénote simplement une réaction moyenne, celle de M. Tout-le-monde, qui écoute cette confession fiévreuse, rit, se méfie, se laisse agacer, etc. Dans le chapitre 7, cependant, et jusqu'au chapitre 10, ce rôle se modifie : le *vous* ne se contente plus de réagir, il prend une position et ses répliques deviennent aussi longues que celles du narrateur. Cette position, nous la connaissons, c'est celle de *ils* (disons, pour simplifier, celle de Tchernychevski). C'est à eux que s'adresse maintenant le narrateur en affirmant : « Car, autant que je sache, messieurs, tout votre répertoire des avantages humains, vous l'avez établi d'après les chiffres moyens de données statistiques et de formules de sciences économiques. » C'est ce deuxième *vous-ils* dont il dira : « Vous croyez à un palais de cristal, à tout jamais indestructible... » Enfin, dans le dernier (onzième) chapitre, on revient au *vous* initial, et ce *vous* devient en même temps un des thèmes du discours : « Bien entendu, ces paroles que je vous fais dire, c'est moi qui viens de les inventer. Ça aussi, c'est un produit du souterrain. Je les ai épiées par une petite fente quarante ans de suite. C'est moi qui les ai inventées, c'est tout ce que j'avais à faire... »

Enfin, le dernier rôle dans ce drame est tenu par le *je* : par un *je* dédoublé bien sûr car, on le sait, toute apparition du *je*, toute appellation de celui qui parle, pose un nouveau contexte d'énonciation, où c'est un autre *je*, non encore nommé, qui énonce. C'est là le trait à la fois le plus fort et le plus original de ce discours : son aptitude à mélanger librement le linguistique avec le métalinguistique, à contredire l'un par l'autre, à régresser jusqu'à l'infini dans le métalinguistique. En effet la représentation explicite de celui qui parle permet une série de figures. Voici la contradiction : « J'étais un fonctionnaire méchant. » Et, une page plus loin : « En vous disant que j'étais un fonctionnaire méchant tout à l'heure, je vous ai raconté des bourdes. » Le commentaire métalinguistique : « J'étais grossier et j'y prenais plaisir. C'est que je ne me laissais pas graisser la patte, moi ! Alors, j'avais bien droit à cette compensation. (La blague ne vaut pas cher, mais je ne la bifferai pas. En l'écrivant, je croyais que ça ferait très piquant ; maintenant, je m'aperçois que je ne cherchais qu'à faire bassement le malin, mais je ne la bifferai pas ! Exprès !) » Ou : « Je poursuis tranquillement mon propos sur les gens aux nerfs solides... » Réfutation de soi-même : « Car je vous jure, messieurs, que je ne crois pas à un seul, mais alors là, pas un traître mot de ce que je viens de gribouiller. » La régression à l'infini (exemple de la deuxième partie) : « Au fait, vous avez raison. C'est vulgaire et ignoble. Et le plus ignoble de tout, c'est que je sois en train de me justifier devant vous. Et le plus ignoble encore, que j'en fasse la remarque. Ah ! Et puis cela suffit, dans le fond, autrement on n'en finira jamais : les choses seront toujours plus infâmes les unes que les autres... » Et tout le onzième chapitre de la première partie est consacré au problème de l'écriture : pourquoi écrit-il ? pour qui ? L'explication qu'il propose (il écrit pour lui-même, pour se débarrasser de ses souvenirs pénibles) n'est en fait qu'une parmi d'autres, suggérées à d'autres niveaux de lecture.

Le drame que Dostoïevski a mis en scène dans les *Notes* est celui de la parole, avec ses protagonistes constants : le discours présent, ou le *ceci ;* les discours absents des autres, les *ils ;* le *vous* ou le *tu* de l'allocutaire, toujours prêt à se transformer en locuteur ; le *je* enfin du sujet de l'énonciation – qui n'apparaît que lorsqu'une autre énonciation l'énonce. L'énoncé, pris dans ce jeu, perd toute stabilité, objectivité, impersonnalité : il n'existe plus d'idées absolues, cristallisation intangible d'un processus à jamais oublié ; celles-ci sont devenues aussi fragiles que le monde qui les entoure.

Le nouveau statut de l'idée est précisément l'un des points que l'on trouve éclairés dans l'étude de Bakhtine sur la poétique de Dostoïevski (et qui reprend des remarques de plusieurs critiques russes antérieurs : Viatcheslav Ivanov, Grossman, Askoldov, Engelgardt). Dans le monde romanesque non dostoïevskien, que Bakhtine nomme monologique, l'idée peut avoir deux fonctions : exprimer l'opinion de l'auteur (et n'être attribuée à un personnage que pour des raisons de commodité) ; ou bien, n'étant plus une idée à laquelle l'auteur apporte son adhésion, servir de caractéristique psychique ou sociale au personnage (par métonymie). Mais dès que l'idée est prise au sérieux, elle n'appartient plus à personne. « Tout ce qui, dans les consciences multiples, est essentiel et vrai, fait partie du contexte unique de la "conscience en général" et est dépourvu d'individualité. Par contre, tout ce qui est individuel, ce qui distingue une conscience de l'autre et des autres, n'a aucune valeur pour la cognition en général, et se rapporte à l'organisation psychologique ou aux limites de la personne humaine. En fait de vérité, il n'existe pas de consciences individuelles. Le seul principe d'individualisation cognitive reconnu par l'idéalisme est l'*erreur*. Un jugement vrai n'est jamais rattaché à une

personne, mais satisfait un seul contexte unique fon-
damentalement monologique. Seule l'erreur rend
individuel. »

La « révolution copernicienne » de Dostoïevski
consiste précisément, selon Bakhtine, à avoir annulé
cette impersonnalité et solidité de l'idée. Ici l'idée est
toujours « interindividuelle et intersubjective », et « sa
conception créatrice du monde ne connaît pas de
vérité impersonnelle et ses œuvres ne comportent pas de
vérités susceptibles d'isolement. » Autrement dit, les
idées perdent leur statut singulier, privilégié, elles ces-
sent d'être des essences immuables pour s'intégrer en
un plus vaste circuit de la signification, dans un
immense jeu symbolique. Pour la littérature antérieure, l'idée est un signifié pur, elle *est signifiée* (par
les mots ou par les actes) mais ne *signifie* pas elle-
même (à moins que ce ne soit comme une caractéristique psychologique). Pour Dostoïevski et, à des
degrés différents, pour quelques-uns de ses contemporains (tel le Nerval d'*Aurélia*), l'idée n'est pas le
résultat d'un processus de représentation symbolique,
elle en est une *partie* intégrante. Dostoïevski lève l'opposition entre discursif et mimétique en donnant aux
idées un rôle de *symbolisant* et non seulement de *sym-
bolisé ;* il transforme l'idée de représentation non en la
refusant ou en la restreignant mais, bien au contraire
(même si les résultats peuvent paraître semblables), en
l'étendant sur des domaines qui lui restaient étrangers
jusqu'alors. On pouvait trouver dans les *Pensées* de
Pascal des affirmations sur un cœur que la raison ne
connaît pas, comme dans les *Notes d'un souterrain* ;
mais on ne peut pas imaginer les *Pensées* transformées
en un tel « dialogue intérieur » où celui qui énonce en
même temps se dénonce, se contredit, s'accuse de
mensonge, se juge ironiquement, se moque de lui-
même – et de nous.

Lorsque Nietzsche dit que « Dostoïevski est le seul
qui m'ait appris quelque chose en psychologie », il
participe d'une tradition occidentale séculaire qui,
dans le littéraire, lit le psychologique, le philoso-

phique, le social – mais non le littéraire ; qui ne
s'aperçoit pas que l'innovation de Dostoïevski est bien
plus grande sur le plan symbolique que sur celui de la
psychologie, qui n'est ici qu'un élément parmi d'autres. Dostoïevski change notre idée de l'idée et notre
représentation de la représentation.

Mais y a-t-il une relation entre ce thème *du* dialogue
et les thèmes évoqués *dans* le dialogue ?... Nous sentons que le labyrinthe ne nous a pas encore révélé tous
ses secrets. Empruntons une autre voie, engageons-
nous dans un secteur encore inexploré : la deuxième
partie du livre. Comment savoir, la voie indirecte se
révélera peut-être la plus rapide ?

Cette seconde partie est plus traditionnellement
narrative, mais elle n'exclut pas pour autant les éléments de ce drame de la parole qu'on observe dans la
première. Le *je* et le *vous* se comportent de manière
semblable, mais le *ils* change et devient plus important
encore. Plutôt que d'entrer avec les textes antérieurs
en dialogue, en polémique – donc en un rapport syn-
tagmatique, le récit épouse la forme de la *parodie* (rapport paradigmatique), en imitant et inversant les situations de récits antérieurs. En un sens, les *Notes d'un
souterrain* portent la même intention que *Don Qui-
chotte* : ridiculiser une littérature contemporaine, en
l'attaquant aussi bien par la parodie que par la polémique ouverte. Le rôle des romans de chevalerie est
tenu ici par la littérature romantique, russe et occidentale. Plus exactement, ce rôle est divisé en deux :
d'une part le héros entre dans des situations qui paro-
dient les péripéties du même *Que faire ?* de Tchernychevski ; ainsi de la rencontre avec l'officier ou de celle
avec Lisa. Lopoukhov, dans le roman de Tchernychevski, a pour habitude de ne jamais céder le chemin,
sauf aux femmes et aux vieillards ; lorsqu'une fois un
grossier personnage ne s'écarte pas non plus,
Lopoukhov, homme de grande force physique, le
déplace simplement dans le fossé. Un autre personnage, Kirsanov, rencontre une prostituée et, par son
amour, l'extrait de sa condition (il est étudiant en

médecine, tout comme le soupirant de Lisa). Ce plan
parodique n'est jamais nommé dans le texte. En
revanche, l'homme du souterrain lui-même est toujours conscient de se comporter (de vouloir se
comporter) comme les personnages romantiques du
début du siècle ; les œuvres et les héros sont nommément cités ici : ce sont Gogol *(Les Ames mortes,
Le Journal d'un fou, Le Manteau* – ce dernier sans
mention explicite), Gontcharov *(Histoire ordinaire)*,
Nekrassov, Byron *(Manfred)*, Pouchkine *(Le Coup de
feu)*, Lermontov *(Mascarade)*, George Sand, et même,
Dostoïevski lui-même, indirectement *(Humiliés et
Offensés)*. Autrement dit, la littérature libérale des
années trente et quarante est ridiculisée à l'intérieur
de situations empruntées aux écrivains radicaux des
années soixante. Ce qui constitue déjà une accusation
indirecte des uns et des autres.

Contrairement à la première partie, le rôle principal
est tenu ici par la littérature libérale et romantique. Le
héros-narrateur est un adepte de cette littérature
romantique et il voudrait régler sur elle son comportement. Cependant – et c'est là que réside la parodie –
ce comportement est dicté en fait par une tout autre
logique, ce qui fait que les projets romantiques
échouent l'un après l'autre. Le contraste est tout à fait
frappant car le narrateur ne se contente pas de rêves
vagues et nébuleux, mais imagine dans le détail
chaque scène à venir, parfois plusieurs fois de suite ; et
jamais ses prévisions ne se révèlent justes. Avec l'officier d'abord : il rêve (et nous verrons en quoi ce rêve
est romantique) d'une querelle à la fin de laquelle il
serait expulsé par la fenêtre (« Bon Dieu ! ce que j'aurais donné pour une bonne, pour une plus juste dispute, une dispute plus convenable, plus *littéraire*, pour
ainsi dire ! ») ; en fait on le traite comme quelqu'un
qui ne mérite pas la bagarre, qui n'existe même pas.
Ensuite, à propos du même officier, il rêve d'une
conciliation dans l'amour ; mais il ne parviendra qu'à
le heurter « sur un pied de parfaite égalité ». Lors de
l'épisode avec Zverkov, il rêve à une soirée où tout le

monde l'admire et l'aime ; il la vivra dans la plus grande humiliation. Avec Lisa, enfin, il s'affuble du rêve le plus traditionnellement romantique : « Par exemple : je sauve Lisa justement parce qu'elle me rend visite et que je lui parle... Je développe son esprit, je fais son éducation. Je finis par m'apercevoir qu'elle m'aime, qu'elle m'aime passionnément. Je fais semblant de ne pas comprendre », etc. Cependant, lorsque Lisa arrive chez lui, il la traite comme une prostituée.

Ses rêves sont plus romantiques encore lorsqu'ils ne sont suivis d'aucune action précise. Ainsi dans celui, intemporel, qu'on trouve au chapitre deux : « Par exemple, je triomphe. Naturellement, les autres sont pulvérisés et contraints de reconnaître de leur plein gré mes nombreuses qualités, et moi, je leur pardonne, à tous. Poète et gentilhomme de la Chambre, je tombe amoureux ; je touche des tas de millions que je sacrifie sur-le-champ au genre humain, puis je confesse aussitôt devant le peuple toutes mes infamies, lesquelles, naturellement, ne sont pas des infamies ordinaires mais renferment des quantités folles de "beau" et de "sublime", dans le style de Manfred », etc. Ou encore, avec Zverkov, lorsqu'il prévoit trois versions successives d'une scène qui n'aura jamais lieu : dans la première, celui-ci lui baise les pieds ; dans la seconde, ils se battent en duel ; dans la troisième le narrateur mord la main de Zverkov, on l'envoie au bagne et, quinze ans plus tard, il revient voir son ennemi : « Regarde, monstre, regarde mes joues hâves et mes haillons ! J'ai tout perdu : carrière, bonheur, art, science, *la femme que j'aimais*, et tout cela à cause de toi. Voici des pistolets. Je suis venu vider mon pistolet et... et je te pardonne. – A ce moment, je tirerai en l'air, puis l'on n'entendra plus parler de moi... – J'étais au bord des larmes, et pourtant, au même moment, je savais – le doute n'était pas permis – que tout ça, je l'avais tiré de Sylvio et de *Mascarade* de Lermontov. »

Toutes ces rêveries se font donc explicitement au nom de la littérature ou, plus exactement, d'une cer-

taine littérature. Lorsque les événements risquent de
se dérouler autrement, le narrateur les qualifie de non
littéraires (« tout cela serait misérable, non *littéraire*,
banal ! »). Ainsi s'esquissent deux logiques ou deux
conceptions de la vie : la vie *littéraire* ou *livresque* et la
réalité ou la *vie vivante*. « Nous nous sommes tous
déshabitués de vivre, nous sommes tous devenus boiteux, les uns plus, les autres moins. Nous nous en
sommes à tel point déshabitués, que parfois, nous ressentons une sorte de répulsion devant la "vie vivante",
et par conséquent nous détestons qu'on nous rappelle
son existence. C'est que nous en sommes arrivés au
point que c'est tout juste si nous ne considérons pas la
"vie vivante" comme un labeur, presque une fonction
publique, et que dans notre for intérieur nous pensons
tous que le monde des livres, c'est mieux [...] Laissez-
nous seuls, sans livres, et aussitôt nous nous embrouillerons, nous nous perdrons... » : ainsi parle le narrateur désillusionné à la fin des *Notes*.

Maître et esclave

En fait nous n'assistons pas à un simple rejet des
rêveries. Les événements représentés ne s'organisent
pas seulement de manière à réfuter la conception
romantique de l'homme, mais en fonction d'une
logique qui leur est propre. Cette logique, jamais for-
mulée mais sans cesse représentée, explique toutes les
actions, apparemment aberrantes, du narrateur et de
ceux qui l'entourent : c'est celle du maître et de l'esclave, ou, comme dit Dostoïevski, du « mépris » et de
l'« humiliation ». Loin d'être l'illustration du caprice,
de l'irrationnel et de la spontanéité, le comportement
de l'homme du souterrain obéit, comme l'avait déjà
signalé René Girard, à un schème bien précis.

L'homme du souterrain vit dans un monde à trois
valeurs : inférieur, égal, supérieur ; mais c'est en apparence seulement que celles-ci forment une série homo-
gène. Tout d'abord, le terme « égal » ne peut exister

que nié : c'est le propre même de la relation maître-esclave que d'être exclusive, de n'admettre aucun terme tiers. Celui qui aspire à l'égalité prouve par là même qu'il ne la possède pas ; il se verra donc attribuer le rôle d'esclave. Dès qu'une personne occupe l'un des pôles de la relation, son partenaire se voit automatiquement rattaché à l'autre.

Mais être maître n'est pas plus facile. En effet, dès que l'on se voit confirmé dans sa supériorité, celle-ci disparaît, par ce fait même : car la supériorité n'existe, paradoxalement, qu'à condition de s'exercer sur des égaux ; si l'on croit vraiment que l'esclave est inférieur, la supériorité perd son sens. Plus exactement, elle le perd lorsque le maître perçoit non seulement sa relation avec l'esclave mais aussi l'image de cette relation ; ou, si l'on préfère, qu'il en prend *conscience*. C'est là, précisément, la différence entre le narrateur et les autres personnages des *Notes*. Cette différence peut paraître, à première vue, illusoire. Lui-même y croit à l'âge de vingt-quatre ans : « Une autre chose me tourmentait : justement ceci, que personne ne me ressemblait et que je ne ressemblais à personne. "C'est que moi, je suis seul, mais eux, ils sont *tous*", me disais-je en me perdant en conjectures. » Mais le narrateur ajoute, seize ans plus tard : « On voit à cela que je n'étais encore qu'un gamin. » En fait, la différence n'existe qu'à ses yeux ; mais cela suffit. Ce qui le rend différent des autres, c'est le désir de ne pas s'en distinguer ; autrement dit, sa conscience, celle-là même qu'il exaltait dans la première partie. Dès qu'on devient conscient du problème de l'égalité, qu'on déclare vouloir devenir égal, on affirme, dans ce monde où il n'existe que des maîtres et des esclaves, qu'on n'est pas l'égal, et donc, – comme les maîtres seuls sont « égaux » – qu'on est inférieur. L'échec guette l'homme souterrain de partout : l'égalité est impossible ; la supériorité, dénuée de sens ; l'infériorité, douloureuse.

Prenons le premier épisode, la rencontre avec l'officier. On pourrait trouver étrange le désir du narra-

teur de se voir jeter par la fenêtre ; ou, pour l'expliquer, avoir recours à ce « masochisme » dont il nous a
entretenu dans la première partie. L'explication,
cependant, est ailleurs, et si nous jugeons son désir
absurde, c'est que nous tenons compte des actes explicitement posés seulement, et non de ce qu'ils présup-
posent. Or une bagarre en règle *implique* l'égalité des
participants : on ne se bat qu'entre égaux. Obéissant à
la même logique du maître et de l'esclave, l'officier ne
peut accepter cette proposition : demander l'égalité
implique qu'on est inférieur, l'officier se comportera
donc en supérieur. « Il m'a pris aux épaules et, sans un
mot d'avertissement ou d'explication, m'a fait changer
de place, puis il est passé, comme s'il n'avait même
pas remarqué ma présence. » Et voici que notre héros
se trouve à la place de l'esclave.

Renfermé dans son ressentiment, l'homme souterrain commence à rêver – non exactement à la vengeance, mais encore à l'état d'égalité. Il écrit à l'officier une lettre (qu'il n'enverra pas) qui devrait
amener ce dernier, ou bien au duel, c'est-à-dire à
l'égalité des adversaires, ou bien à ce qu'il fasse « un
bond chez moi pour se jeter à mon cou et m'offrir son
amitié. Et comme c'eût été beau ! Là, nous nous
serions mis à vivre ! » : en d'autres mots, à l'égalité des
amis.

Puis le narrateur découvre la voie de la vengeance.
Elle consistera à ne pas céder le chemin sur la perspective Nevski où tous deux se promènent souvent.
Encore une fois, ce dont il rêve est l'égalité. « Pourquoi t'effaces-tu le premier ? me faisais-je à moi-même
la guerre, m'éveillant sur le coup de trois heures du
matin, en pleine crise de nerfs. – Pourquoi serait-ce toi
et pas lui ? Il n'y a pas de loi là-dessus, ça n'est écrit
nulle part, n'est-ce pas ? Mettez-y chacun du vôtre
comme cela se fait d'ordinaire lorsque des gens délicats se rencontrent : il te laisse la moitié du passage et
toi l'autre, et vous vous croiserez ainsi, avec des égards
réciproques. » Et lorsque la rencontre se réalise, le
narrateur constate : « Je m'étais publiquement placé

sur un pied d'égalité sociale avec lui. » C'est ce qui explique d'ailleurs la nostalgie qu'il éprouve maintenant pour cet être peu attrayant (« Qu'est-ce qu'il fait à présent, mon doux ami ?... »).

L'incident avec Zverkov obéit à la même logique exactement. L'homme souterrain entre dans une pièce où se trouvent réunis des anciens camarades d'école. Eux aussi se comportent comme s'ils ne l'apercevaient pas, ce qui réveille en lui le désir obsédant de prouver qu'il est leur égal. Aussi, apprenant qu'ils se préparent à célébrer un autre ancien camarade (qui ne l'intéresse nullement par ailleurs), il demande à participer à la beuverie : à être comme les autres. Mille obstacles se dressent sur son chemin ; il ne va pas moins les surmonter et assister au dîner offert à Zverkov. Dans ses rêves cependant, le narrateur ne s'illusionne pas : il se voit ou bien humilié par Zverkov, ou bien, à son tour, l'humiliant : on n'a que le choix entre le rabaissement de soi et le mépris pour l'autre.

Zverkov arrive et se comporte de manière affable. Mais ici encore, l'homme du souterrain réagit au présupposé, non au posé, et cette affabilité même le met sur ses gardes : « Ainsi donc, il se croyait incommensurablement supérieur sous tous les rapports ? [...] Et si la misérable idée qu'il m'était incommensurablement supérieur et qu'il ne pouvait plus me considérer autrement qu'avec des airs protecteurs était, pour de bon et sans aucun désir de me blesser, allée se fourrer dans sa cervelle de mouton ? »

La table autour de laquelle on s'assoit est ronde ; mais l'égalité s'arrête là. Zverkov et ses camarades font des allusions à la pauvreté, aux malheurs du narrateur, en un mot, à son infériorité – car eux aussi obéissent à la logique du maître et de l'esclave, et dès que quelqu'un demande l'égalité, on comprend qu'il se trouve en fait dans l'infériorité. On cesse de le remarquer, malgré tous ses efforts. « Il eût été impossible de s'humilier plus bassement, plus délibérément. » Ensuite, à la première occasion, il demande à nouveau l'égalité (aller avec les autres au bordel), elle

lui est refusée, suivent de nouveaux rêves de supériorité, etc.

L'autre rôle ne lui est pas tout à fait refusé, d'ailleurs : il trouve des êtres plus faibles que lui dont il est
le maître. Mais cela ne lui apporte aucune satisfaction
car il ne peut être maître à la manière de « l'homme
d'action ». Il a besoin du procès de devenir-maître,
non de l'état de supériorité. Cette mécanique est évo-
quée en raccourci dans un souvenir d'école : « Une
fois, j'ai même eu un ami. Mais j'étais déjà un despote
dans l'âme ; je voulais régner sur la sienne en maître
absolu ; je voulais lui insuffler le mépris de son entourage, avec lequel j'ai exigé de lui une rupture hautaine
et définitive. Mon amitié passionnée lui a fait peur : je
le poussais jusqu'aux larmes, aux convulsions ; c'était
une âme naïve et confiante ; mais lorsqu'il s'est
complètement abandonné à moi, je me suis mis à le
haïr et je l'ai repoussé, à croire que je n'avais eu
besoin de lui que pour le vaincre et le voir se soumettre. » Pour un maître conscient, l'esclave, une fois
soumis, ne présente plus aucun intérêt.

Mais c'est surtout dans l'épisode avec Lisa que
l'homme souterrain se retrouve à l'autre pôle de la
relation. Lisa est une prostituée, elle est au plus bas de
l'échelle sociale : c'est ce qui permet, à l'homme souterrain, pour une fois, d'agir selon la logique romantique qui lui est chère : d'être magnanime et généreux.
Mais il accorde si peu d'importance à sa victoire, qu'il
est prêt à l'oublier le lendemain, tout préoccupé du
rapport avec ses maîtres à lui. « Mais *de toute évidence*,
le plus important, l'essentiel n'était pas là : il fallait me
dépêcher d'aller sauver ma réputation aux yeux de
Zverkov et de Simonov. C'était cela, le principal. Lisa,
au milieu des soucis de cette matinée, je l'avais
complètement oubliée. » Si le souvenir revient, c'est
parce que l'homme souterrain craint que, lors d'une
prochaine rencontre, il ne puisse plus se maintenir au
niveau supérieur où il s'était hissé. « Hier, elle m'a pris
pour un... héros... tandis que maintenant... heu... » Il
redoute que Lisa ne devienne, elle aussi, *méprisante* et

qu'il soit à nouveau *humilié*. Or, par le hasard des
choses, elle entre chez lui en un moment où il est
humilié par son serviteur. C'est pourquoi, la première
question qu'il lui adresse est : « Lisa, tu me
méprises ? » Après une crise hystérique, il commence à
croire « qu'à présent les rôles étaient définitivement
renversés, qu'à présent, c'était elle, l'héroïne, et que
moi, j'étais une créature aussi humiliée, aussi bafouée
qu'elle l'avait été à mes yeux, l'autre nuit – il y avait
de cela quatre jours... » Ce qui provoque en lui le désir
de se retrouver maître ; il la possède et lui remet
ensuite de l'argent, comme à n'importe quelle prostituée. Mais l'état de maîtrise ne comporte pas de
plaisir pour lui, et son seul désir est que Lisa disparaisse. Une fois partie, il découvre qu'elle n'avait pas
pris l'argent. Donc elle n'était pas inférieure ! Elle
reprend toute sa valeur à ses yeux, et il se lance à sa
poursuite. « Pourquoi ? Tomber à genoux devant elle,
éclater en sanglots de repentir, lui baiser les pieds,
implorer son pardon ! » Lisa lui était inutile comme
esclave, elle lui redevient nécessaire en tant que maître
potentiel.

On comprend maintenant que les rêveries romantiques ne sont pas extérieures à la logique du maître et
de l'esclave : elles sont la version rose de ce dont le
comportement du maître est la version noire. Le rapport romantique d'égalité ou de générosité présuppose
la supériorité, tout comme la bagarre présupposait
l'égalité. En commentant devant Lisa leur première
rencontre, le narrateur s'en rend pleinement compte.
« On m'avait bafoué, je voulais bafouer à mon tour ;
on m'avait traité en chiffe molle, j'ai voulu à mon tour
exercer mon empire... Voilà l'affaire. Et toi, tu t'es
imaginé que j'étais venu exprès pour te sauver, oui ? »
« C'est de puissance que j'avais besoin, ce jour-là,
j'avais besoin de jouer, de te pousser jusqu'aux
larmes, de te rabaisser, de provoquer tes sanglots –
voilà de quoi j'avais besoin ce jour-là ! » La logique
romantique est donc non seulement constamment
battue en brèche par celle du maître et de l'esclave,

elle n'en est même pas différente ; c'est d'ailleurs pourquoi les rêves « roses » peuvent s'alterner librement avec les rêves « noirs ».

Toute l'intrigue dans la seconde partie des *Notes d'un souterrain* n'est rien d'autre qu'une exploitation de ces deux figures fondamentales dans le jeu du maître et de l'esclave : la vaine tentative d'accéder à l'égalité qui se solde par l'humiliation ; et l'effort tout aussi vain – car ses résultats sont éphémères – de se venger, ce qui n'est, dans le meilleur des cas, qu'une compensation : on humilie et on méprise pour avoir été humilié et méprisé. Le premier épisode, avec l'officier, présente un condensé des deux possibilités ; ensuite elles s'alternent, obéissant à la règle du contraste : l'homme souterrain est humilié par Zverkov et ses camarades, il humilie Lisa, ensuite il est à nouveau humilié par son serviteur Apollon, et se venge encore une fois sur Lisa ; l'équivalence des situations est marquée soit par l'identité du personnage soit par une ressemblance dans les détails : ainsi Apollon « chuintait et zézayait sans arrêt », alors que Zverkov parle « en zozotant, chuintant et étirant les mots, ce qui ne lui arrivait pas naguère ». L'épisode avec Apollon, qui met en scène une relation concrète entre maître et serviteur, sert d'emblème à l'ensemble de ces péripéties si peu capricieuses.

L'être et l'autre

L'homme souterrain sera sans cesse conduit à assumer le rôle de l'esclave ; il en souffre cruellement ; et pourtant, apparemment, il le recherche. Pourquoi ? Parce que la logique même du maître et de l'esclave n'est pas une vérité dernière, elle-même est une apparence posée qui dissimule un présupposé essentiel, auquel il faut maintenant accéder. Ce centre, cette essence à laquelle nous parvenons nous réserve cependant une surprise : elle consiste à affirmer le caractère primordial de la relation avec autrui, à placer l'essence de l'être en l'autre, à nous dire que le simple est double, et que le dernier atome, indivis, est fait de deux. L'homme souterrain n'existe pas en dehors de la relation avec autrui, sans le regard de l'autre. Or n'être pas est un mal plus angoissant encore qu'être un rien, qu'être esclave.

L'homme n'existe pas sans le regard de l'autre. – On pourrait se méprendre, pourtant, sur la signification du regard dans les *Notes d'un souterrain*. En effet, les indications le concernant, très abondantes, semblent à première vue s'inscrire dans la logique du maître et de l'esclave. Le narrateur ne veut pas regarder les autres, car, à le faire, il aurait reconnu leur existence et, par là même, il leur aurait accordé un privilège qu'il n'est pas sûr d'avoir pour lui-même ; autrement dit, le regard risque de faire de lui un esclave. « A la chancellerie où je travaillais, je m'efforçais même de ne regarder personne. » Lors de sa rencontre avec les anciens camarades d'école, il évite avec insistance de les regarder, il reste « les yeux baissés sur son assiette ». « Je me suis surtout efforcé de ne pas les regarder. » Lorsqu'il regarde quelqu'un, il essaie de mettre dans ce regard toute sa dignité – et donc un défi. « Je le regardais avec rage, avec haine », dit-il de l'officier, et des camarades d'école : « Je promenais insolemment à la ronde mon regard hébété. » Rappelons que les mots russes *prezirat'* et *nenavidet'*, mépriser et haïr, très fréquents dans le texte pour la description de ce sentiment précisément, contiennent tous deux la racine *voir* et *regarder*.

Les autres en font exactement autant, avec plus de succès la plupart du temps. L'officier passe à côté de lui comme s'il ne le voyait pas, Simonov « évite de le regarder », ses camarades une fois ivres refusent de le remarquer. Et lorsqu'ils le regardent, ils le font avec la même agressivité, en lançant le même défi. Ferfitchkine « plongeait dans mes yeux un regard furibond », Troudolioubov « louchait sur moi avec mépris », et Apollon, son serviteur, se spécialise dans les regards méprisants : « Il commençait par fixer sur moi un regard extraordinairement sévère qu'il ne détachait pas avant plusieurs minutes, surtout lorsqu'il venait m'ouvrir ou m'accompagnait jusqu'à la sortie. [...] Soudain, sans raison apparente, il entrait d'un pas souple et feutré dans ma chambre, tandis que j'y déambulais ou que je lisais, s'arrêtait près de la porte, passait une main derrière son dos, avançait la jambe et braquait sur moi un regard où la sévérité avait fait place au mépris. Si je lui demandais ce qu'il voulait, au lieu de répondre, il me vrillait des yeux quelques secondes de plus, puis, avec un pli particulier des lèvres et un air plein de sous-entendus, il faisait lentement demi-tour et s'en allait du même pas imposant dans sa chambre. »

C'est dans cette optique aussi qu'il faut analyser les rares moments où l'homme souterrain parvient à réaliser ses rêveries romantiques : cela ne peut se faire qu'en l'absence totale de regard. Ce n'est pas un hasard si cela se produit lors de la rencontre victorieuse avec l'officier : « Soudain, à trois pas de mon ennemi, contre toute attente, je me suis décidé, *j'ai serré les paupières* et... nous nous sommes violemment heurtés de l'épaule ! » Ni, surtout, si cela se répète durant la première rencontre avec Lisa : au début même de la conversation, le narrateur nous dit : « La chandelle s'était éteinte, je ne lui voyais plus la figure », et ce n'est que tout à fait à la fin, son discours bien terminé, qu'il retrouve « une boîte d'allumettes et un chandelier avec une chandelle neuve ». Or c'est précisément entre ces deux moments de lumière que l'homme souterrain peut énoncer son propos romantique, envers rose du visage du maître.

Mais ce n'est là que la logique du regard « littéral », concret. En fait, dans toutes ces circonstances, la condition d'infériorité est acceptée, plus même, recherchée, parce qu'elle permet d'arrêter sur soi le regard des autres, serait-ce un regard méprisant. L'homme souterrain est toujours conscient de la souffrance que lui cause le regard humiliant ; il ne le recherche pas moins. Aller chez son chef Anton

Antonytch ne lui apporte aucun plaisir ; les conversations qu'il y entend sont insipides. « On parlait impôts indirects, adjudications au Sénat, traitements, promotions, on parlait de Son Excellence, des moyens de plaire, et ainsi de suite, et ainsi de suite. J'avais la patience de rester, comme un crétin, quatre heures de rang auprès de ces gens-là, de les écouter sans oser, ni savoir, parler de rien avec eux. Je devenais idiot, j'avais des sueurs chaudes, la paralysie me guettait ; mais c'était bien, c'était utile. » Pourquoi ? Parce qu'auparavant il a ressenti « un besoin insurmontable de (se) précipiter dans la société ». Il sait que Simonov le méprise : « Je le soupçonnais d'éprouver une forte répulsion à mon égard [...] Je me disais justement que ce monsieur trouvait ma présence pénible et que j'avais bien tort d'aller le voir. » Mais, poursuit-il, « ce genre de considérations ne faisaient, comme un fait exprès, que m'encourager à me fourrer dans des situations équivoques ». Un regard, même un regard de maître, vaut mieux que l'absence de regard.

Toute la scène avec Zverkov et les camarades d'école s'explique de la même manière. Il a besoin de leur regard ; s'il prend des poses dégagées, c'est parce qu'il attend « avec impatience qu'ils m'adressent la parole *les premiers* ». Ensuite, « je voulais à toute force leur montrer que je pouvais parfaitement me passer d'eux ; et cependant, je martelais exprès le plancher, faisais sonner mes talons. » De même avec Apollon : il ne tire aucun profit de ce serviteur grossier et paresseux mais il ne peut pas non plus se séparer de lui. « Je ne pouvais pas le chasser, à croire qu'il était chimiquement lié à mon existence. [...] Je me demande bien pourquoi, mais il me semblait qu'Apollon faisait partie intégrante de ce logement dont, sept années de rang, j'ai été incapable de le chasser. » Voilà l'explication du « masochisme » irrationnel, rapporté par le narrateur dans la première partie et dont les critiques ont tant raffolé : il accepte la souffrance parce que l'état d'esclave est finalement le seul qui lui assure le regard des autres ; or sans lui, l'être n'existe pas.

En fait, la première partie contenait déjà explicitement cette affirmation, faite à partir d'un postulat
d'échec : l'homme souterrain n'est rien, précisément,
il n'est même pas un esclave, ou, comme il dit, même
pas un insecte. « Non seulement je n'ai pas su devenir
méchant, mais je n'ai rien su devenir du tout : ni
méchant ni bon, ni crapule ni honnête homme, ni
héros ni insecte. » Il rêve de pouvoir s'affirmer ne
serait-ce que par une qualité négative, ainsi la paresse,
l'absence d'actions et de qualités. « Je me respecterais,
justement parce que je serais capable d'abriter au
moins de la paresse ; je posséderais au moins un
attribut en apparence positif dont, moi aussi, je serais
sûr. Question : qui est-il ? Réponse : un paresseux ;
mais c'est que ce serait diantrement agréable à
entendre. Donc, je possède une définition positive,
donc on peut dire quelque chose de moi. » Car maintenant il ne peut même pas dire qu'il n'est rien (et
circonscrire la négation dans l'attribut) ; il *n'est pas,*
c'est jusqu'au verbe d'existence lui-même qui se
trouve nié. Être seul, c'est ne plus être.

Il y a un grand débat, quasi scientifique, qui occupe
presque toutes les pages des *Notes*, portant sur la
conception même de l'homme, sur sa structure psychique. L'homme souterrain cherche à prouver que la
conception adverse est non seulement amorale (elle
l'est de manière secondaire, dérivée), mais aussi
inexacte, fausse. L'homme de la nature et de la vérité,
l'homme simple et immédiat, imaginé par Rousseau,
n'est pas seulement inférieur à l'homme conscient et
souterrain ; il n'existe même pas. L'homme un, simple
et indivisible, est une fiction ; le plus simple est déjà
double ; l'être n'a pas d'existence antérieure à l'autre
ou indépendante de lui ; c'est bien pourquoi les rêves
d'« égoïsme rationnel » chéris par Tchernychevski et
ses amis sont condamnés à l'échec, comme l'est toute
théorie qui ne se fonde pas sur la dualité de l'être.
Cette universalité des conclusions est affirmée dans les
dernières pages des *Notes* : « J'ai simplement poussé
jusqu'à l'extrême limite, dans ma propre vie, ce que

vous n'avez jamais osé pousser même à moitié, et encore, en prenant votre frousse pour de la raison, ce qui vous servait de consolation, alors qu'en fait, vous vous trompiez vous-mêmes. »

C'est donc par un même mouvement que se trouvent rejetées une conception essentialiste de l'homme et une vision objective des idées ; ce n'est pas un hasard si une allusion à Rousseau apparaît ici et là. La confession de Rousseau serait écrite *pour les autres* mais par un être *autonome* ; celle de l'homme souterrain est écrite *pour lui,* mais lui-même est déjà *double,* les autres sont en lui, l'extérieur est intérieur. Tout comme il est impossible de concevoir l'homme simple et autonome, on doit surmonter l'idée du texte autonome, expression authentique d'un sujet, plutôt que reflet d'autres textes, jeu entre les interlocuteurs. Il n'y a pas deux problèmes, l'un concernant la nature de l'homme, l'autre, du langage, l'un situé dans les « idées », l'autre dans la « forme ». Il s'agit bien de la même chose.

Le jeu symbolique

Ainsi les aspects apparemment chaotiques et contradictoires des *Notes d'un souterrain* retrouvent leur unité. Le masochisme moral, la logique du maître et de l'esclave, le statut nouveau de l'idée participent tous d'une même structure fondamentale, sémiotique plutôt que psychique, qui est la structure de l'altérité. De tous les éléments essentiels que nous isolions en cours d'analyse, il ne reste qu'un seul dont la place dans l'ensemble n'est pas apparue : ce sont les dénonciations des pouvoirs de la raison, dans la première partie. Serait-ce là une attaque gratuite de Dostoïevski contre ses ennemis-amis les socialistes ? Mais finissons de lire les *Notes* et nous découvrirons aussi leur place – et leur signification.

En effet, nous avons laissé de côté l'un des personnages les plus importants de la deuxième partie : Lisa.

Ce n'est pas un hasard : son comportement n'obéit à aucun des mécanismes décrits jusqu'ici. Observons, par exemple, son regard : il ne ressemble ni à celui du maître, ni de l'esclave. « J'ai entrevu un visage frais, jeune, un peu blême, avec des sourcils noirs et droits et un regard sérieux, légèrement étonné. » « Soudain, à mes côtés, j'ai aperçu deux yeux largement ouverts qui me fixaient avec curiosité. Leur regard était froid, apathique, sombre, totalement étranger ; il vous laissait une impression pénible. » A la fin de la rencontre : « En général, ce n'était plus le même visage, le même regard qu'avant – morose, défiant, obstiné. A présent, on y lisait la prière, la douceur et aussi la confiance, la tendresse, la timidité. C'est ainsi que les enfants regardent ceux qu'ils aiment beaucoup et à qui ils veulent demander quelque chose. Elle avait des yeux noisette, de très beaux yeux, des yeux vivants qui savaient refléter et l'amour et une haine sombre. » Chez lui, après avoir assisté à une scène pénible, son regard garde sa singularité : « Elle me regardait avec inquiétude. » « Elle me regarda plusieurs fois avec un étonnement attristé », etc.

Le moment crucial dans l'histoire rapportée par les *Notes d'un souterrain* survient lorsque Lisa, injuriée par le narrateur, tout d'un coup réagit : et ceci d'une manière à laquelle il ne s'attend pas, qui n'appartient pas à la logique du maître et de l'esclave. La surprise est telle que le narrateur lui-même doit la relever. « C'est alors que se produit un fait étrange. J'étais tellement habitué à tout penser et à tout imaginer comme si cela sortait d'un livre et à me représenter le monde entier tel que je l'avais inventé d'avance dans mes rêvasseries [nous savons maintenant que la logique livresque des romantiques et celle du maître et de l'esclave ne font en fait qu'un], que ce fait étrange, je ne l'ai pas compris tout de suite. Or, voilà ce qui s'est passé : cette Lisa que je venais d'humilier, de bafouer, a compris bien plus de choses que je ne l'avais cru. »

Comment réagit-elle ? « Soudain, dans un élan irrépressible, elle a bondi sur ses pieds et, toute tendue vers moi, mais toujours intimidée et n'osant bouger de place, elle m'a ouvert les bras... Et mon cœur s'est retourné. Alors, elle s'est jetée contre ma poitrine, m'a entouré le cou et a fondu en larmes. » Lisa refuse aussi bien le rôle du maître que celui de l'esclave, elle ne veut ni dominer ni se complaire dans sa souffrance : elle aime l'autre *pour lui*. C'est ce jaillissement de lumière qui fait des *Notes* un ouvrage beaucoup plus clair qu'on n'est habitué à le penser ; c'est cette même scène qui justifie l'achèvement du récit, alors qu'à la surface, celui-ci se présente comme un fragment tranché par le caprice du hasard : le livre ne pouvait se terminer plus tôt, et il n'y a pas de raison pour qu'il continue ; comme le dit « Dostoïevski » dans les dernières lignes, « on peut s'en tenir là ». On comprend aussi un fait qui a souvent inquiété les commentateurs de Dostoïevski : nous savons par une lettre de l'auteur, contemporaine au livre, que le manuscrit comportait, à la fin de la première partie, l'introduction d'un principe positif : le narrateur indiquait que la solution était dans le Christ. Les censeurs ont supprimé ce passage lors de la première publication ; mais, curieusement, Dostoïevski ne l'a jamais rétabli dans les éditions postérieures. On en voit maintenant la raison : le livre aurait compté deux fins au lieu d'une ; et le propos de Dostoïevski aurait perdu beaucoup de sa force étant placé dans la bouche du narrateur plutôt que dans le geste de Lisa.

Plusieurs critiques (Skaftymov, Frank) avaient déjà remarqué que, contrairement à une opinion répandue, Dostoïevski ne défend pas les vues de l'homme souterrain mais lutte contre elles. Si le malentendu a pu se produire, c'est que nous assistons à deux dialogues simultanés. Le premier est celui entre l'homme du souterrain et le défenseur de l'égoïsme rationnel (peu importe si on lui attache le nom de Tchernychevski, ou celui de Rousseau, ou un autre encore) ; ce débat porte sur la nature de l'homme et il en oppose deux images, l'une autonome, l'autre duelle ; il est évident que Dostoïevski accepte la seconde comme vraie. Mais ce premier dialogue ne sert en fait qu'à balayer le malentendu qui cachait le véritable débat ; c'est là que s'instaure le deuxième dialogue, cette fois entre l'homme souterrain, d'une part, et Lisa, ou, si l'on préfère, « Dostoïevski », de l'autre. La difficulté majeure dans l'interprétation des *Notes* réside dans l'impossibilité de concilier l'apparence de vérité, accordée aux arguments de l'homme souterrain, avec la position de Dostoïevski, telle que nous la connaissons par ailleurs. Mais cette difficulté vient du télescopage des deux débats en un. L'homme du souterrain n'est pas le représentant de la position morale, inscrite par Dostoïevski dans le texte en son propre nom ; il développe simplement jusqu'à ses conséquences extrêmes la position des adversaires de Dostoïevski, les radicaux des années soixante. Mais une fois ces positions logiquement présentées s'engage le procès essentiel – bien qu'il n'occupe qu'une petite partie du texte – où Dostoïevski, tout en se plaçant dans le cadre de l'altérité, oppose la logique du maître et de l'esclave à celle de l'amour des autres pour les autres, telle qu'elle est incarnée dans le comportement de Lisa. Si dans le premier débat se confrontaient, sur le plan de la *vérité*, deux descriptions de l'homme, dans le second, considérant déjà ce problème comme résolu, l'auteur oppose, sur le plan de la *morale*, deux conceptions du comportement juste.

Dans les *Notes d'un souterrain*, cette seconde solution n'apparaît que pour un bref moment, lorsque Lisa tend brusquement ses bras pour étreindre celui qui l'injurie. Mais à partir de ce livre, elle s'affirmera avec de plus en plus de force dans l'œuvre de Dostoïevski, même si elle reste comme la marque d'une limite plus qu'elle ne devient le thème central d'une narration. Dans *Crime et Châtiment*, c'est avec le même amour que la prostituée Sonia écoutera les confessions de Raskolnikov. Il en sera de même pour le prince Mychkine, dans *L'Idiot*, et pour Tikhone, qui reçoit la confession de Stavroguine dans *Les Démons*.

Et dans *Les Frères Karamazov*, ce geste se répétera, symboliquement, trois fois : tout au début du livre, le *starets* Zossima s'approche du grand pécheur Mitia, et s'incline silencieusement devant lui, jusqu'à terre. Le Christ, qui entend le discours du Grand Inquisiteur le menaçant du bûcher, s'approche du vieillard et embrasse silencieusement ses lèvres exsangues. Et Aliocha, après avoir entendu la « révolte » d'Ivan, trouve en lui-même la même réponse : il s'approche d'Ivan et l'embrasse sans mot dire sur la bouche. Ce geste, varié et répété tout au long de l'œuvre de Dostoïevski, y prend une valeur précise. L'étreinte sans mots, le baiser silencieux : c'est un dépassement du langage mais non un renoncement au sens. Le langage verbal, la conscience de soi, la logique du maître et de l'esclave : tous trois se retrouvent du même côté, ils restent l'apanage de l'homme souterrain. Car le langage, nous a-t-on dit dans la première partie des *Notes* ne connaît que le langagier – la raison ne connaît que le raisonnable –, c'est-à-dire une vingtième partie de l'être humain. Cette bouche qui ne *parle* plus mais *embrasse*, introduit le geste et le corps (nous avons tous perdu, disait le narrateur des *Notes*, notre « corps propre ») ; elle interrompt le langage mais instaure, avec d'autant plus de force, le circuit symbolique. Le langage sera dépassé non par le silence hautain qu'incarne « l'homme de la nature et de la vérité », l'homme d'action, mais par ce jeu symbolique supérieur qui commande le geste pur de Lisa.

Le lendemain de la mort de sa première femme, les jours mêmes où il travaille sur les *Notes d'un souterrain*, Dostoïevski écrit dans son carnet (note du 16-4-1864) : « Aimer l'homme *comme soi-même* est impossible, d'après le commandement du Christ. La loi de la personnalité sur terre lie, le moi empêche... Pourtant, après l'apparition du Christ comme *idéal de l'homme en chair*, il est devenu clair comme le jour que le développement supérieur et ultime de la personnalité doit précisément atteindre ce degré (tout à fait à la fin du développement, au point même où l'on atteint le but), où l'homme trouve, prend conscience et, de toute la force de sa nature, se convainc que l'usage supérieur qu'il peut faire de sa personnalité, de la plénitude du développement de son moi, c'est en quelque sorte anéantir ce moi, le donner entièrement à tous et à chacun sans partage et sans réserve. Et c'est le bonheur suprême. »

Je pense que, cette fois-ci, on peut laisser à l'auteur le dernier mot.

Tzvetan TODOROV.

A PROPOS DE CETTE TRADUCTION

Les *Notes d'un souterrain* sont un long monologue /dialogue. Le langage du héros, qui se veut noble, est par moments ampoulé, mais n'échappe ni à la vulgarité du milieu ambiant, ni à certaines vulgarités internes du personnage lui-même : il fluctue constamment entre deux registres. Cela apparaît avec évidence non seulement dans le choix des termes, mais aussi dans la méthode : l'homme du souterrain nous informe qu'il *rédige* ses notes, son langage devrait être senti comme *écrit*. Mais il se raconte au fil de la plume avec une telle liberté, un tel « laisser-aller », qu'à de rares exceptions près, on se trouve en fait devant un discours *parlé*. Cette ambiguïté, le français nous offre un moyen de plus que le russe pour la faire sentir : à l'unique forme russe (perfective) du passé, le français oppose le passé simple (incontestablement « écrit », « littéraire ») et le passé composé (expression orale quotidienne, d'usage courant).

En alternant l'emploi des deux, je crois avoir évité l'écueil de figer le texte dans une seule de ces formes au détriment de l'autre. J'ai choisi de traiter au passé composé les passages où il me semblait que l'homme du souterrain se laissait le plus violemment emporter par ses passions et par conséquent se contrôlait le moins. Il ne m'échappe pas que mon choix fut arbitraire. Le jeu sur ces deux formes du passé peut être différent selon l'analyse de chacun. L'essentiel est qu'il soit.

Par contre, l'emploi de l'imparfait traduisant l'aspect imperfectif du verbe russe s'impose et ne présente aucun problème.

D'autre part, le langage de l'homme du souterrain trahit les hésitations, les repentirs, les échappatoires, les volte-face d'un être qui, à tout instant, guette ses propres paroles. Ce n'est pas une crise qu'il nous relate, ce sont les innombrables crises qu'entraîne presque chaque mot entendu, presque chaque mot prononcé. A la limite, une seule période un peu longue devient le condensé du contenu de la nouvelle entière.

Ce surgissement dramatique et foisonnant se serait fort mal accommodé de la limpidité : la phrase de l'homme du souterrain est lourde, tourmentée, elle revient souvent sur elle-même, elle ne redoute ni les pléonasmes ni d'incessantes ruptures de ton. Rien ne lui serait plus étranger que l'expression claire et percutante, ou que l'équilibre et le fini. Qu'on ne s'étonne donc pas de trouver, dans le texte français, des maladresses, des alliages sonores réputés discordants (accumulations des *qui, que, quoi*, longs adverbes en « ...ment », etc.), des fautes d'usage et de grammaire — celles que l'on rencontre d'ordinaire chez les petits-bourgeois peu instruits (telles que « dans le but » ou « soi-disant » au lieu de « prétendu », telles que les dérapages des constructions relatives à l'intérieur d'une même phrase), des impropriétés d'écriture (telle que le doublement d'etc.). On trouvera aussi de nombreuses répétitions.

Celles-ci, cependant, méritent d'être traitées à part. Pourquoi ? En premier lieu, pour une raison en apparence mineure : on sait que la langue russe admet beaucoup plus facilement que la langue française le réemploi rapproché d'un même mot ou de mots à racine commune. Et l'on nous a appris à rechercher soigneusement des synonymes pour éviter, en français, de tomber dans ce « travers ». C'est ainsi, en effet, qu'il convient de traiter la plupart des textes. Pas celui-ci. En le soignant trop, on le dénaturerait.

Par ailleurs — et ceci est une raison majeure — il y a un nombre important de séries verbales qu'il est indispensable de respecter, qu'elles représentent de grands *leitmotive* ou des motifs secondaires.

Et surtout, les répétitions ne sont pas (ou peu) des tics de plume de Dostoïevski ; ce sont les tics verbaux de son héros (peu), ses idées parasitaires (fréquemment), c'est la signification constante de l'univers étroit dans lequel il s'est enfermé. Cet univers clos, cette fosse privée de ciel, ma tâche était de la réexprimer. Cela ne se fait ni dans la perspective des canons vieillots de l'élégance stylistique ni dans celle, très actuelle, du « coup qui porte » et de l'efficacité. Je me suis efforcée de laisser Dostoïevski parler comme Dostoïevski, en le suivant d'aussi près qu'il était possible. La juxtaposition des deux textes montrera que, dans quelques cas, j'ai dû renoncer à tel ou tel effet. Je l'ai presque toujours reporté un peu plus loin (ou un peu en avant) de façon que chaque série lexicale ou syntaxique, chaque facette psychologique, apparaisse, à peu de chose près, avec la même fréquence que dans l'original.

Lily DENIS.

NOTES D'UN SOUTERRAIN

A propos, de quoi un honnête homme peut-il parler avec le plus de plaisir ?

Réponse : de lui-même.

Alors, moi aussi, je vais parler de moi-même.

II

A présent, messieurs, que vous désiriez l'entendre ou non, j'ai envie de vous raconter pourquoi je n'ai même pas réussi à devenir un insecte. Je vous le déclare solennellement : j'ai voulu le devenir bien des fois. Mais cela non plus, je n'ai pas su le mériter. Je vous en donne ma parole, messieurs : l'excès de conscience est une maladie, une véritable, une intégrale maladie. Pour les usages de la vie courante, l'on aurait plus qu'assez d'une conscience humaine ordinaire, c'est-à-dire de la moitié, du quart de la portion qui revient à l'homme évolué de notre malheureux XIXe siècle, frappé par-dessus le marché du double malheur de résider à Pétersbourg, la ville la plus abstraite et la plus préméditée du globe terrestre (Il y a des villes préméditées et d'autres qui ne le sont pas). Par exemple, le degré de conscience des gens dits directs et des hommes d'action ferait amplement le compte. Vous vous dites, je suis prêt à le parier, que j'écris tout cela pour vous épater, pour faire de l'esprit sur le dos des hommes d'action, et de plus que par cette épate de mauvais goût je soulève le même tintamarre que mon traîneur de sabre. Et pourtant, messieurs, qui tirerait vanité de ses propres maladies, et en faisant de l'épate par-dessus le marché ?

Mais dans le fond, qu'est-ce que je dis ? Tout le monde le fait ; ses maladies, tout le monde les étale, et moi plus que personne, je crois bien. Ne discutons plus, mes objections sont absurdes. Néanmoins, je suis tout à fait convaincu que trop de conscience, et même toute conscience, est une maladie. Je suis

formel. Mais cela aussi laissons-le pour l'instant.
Dites-moi un peu : pourquoi m'arrivait-il, comme un
fait exprès, au moment même, oui, au moment même
où j'étais le plus capable de percevoir toutes les sub-
tilités du « beau et du sublime [1] », comme nous disions
autrefois en Russie [2], pourquoi m'arrivait-il non point
de penser, mais d'accomplir des gestes peu reluisants,
de ces gestes qui... enfin, bref, qu'à tout prendre, tout
le monde accomplit, mais que moi, comme un fait
exprès, je commettais précisément lorsque j'étais plus
conscient que jamais qu'il ne faudrait jamais les
commettre. Plus j'étais conscient du bien, de tout ce
« beau » et ce « sublime », plus je sombrais dans ma
fange et plus j'étais près de m'y enliser à jamais. Mais
le trait essentiel, c'est que rien de cela ne paraissait
fortuit, on aurait dit qu'il convenait qu'il en fût ainsi.
Comme si c'était là mon état le plus normal, et ni une
maladie ni une tare, loin de là, si bien qu'au bout du
compte, cette tare, je perdis jusqu'à l'envie de lutter
contre elle. Pour finir, je faillis croire (et peut-être ai-je
cru pour de bon) que c'était cela, mon état normal.
Mais pour commencer, mais au début, quel martyre
ai-je enduré dans cette lutte ! Je n'imaginais pas que
les autres aient pu en passer par là, c'est pourquoi,
toute ma vie, j'ai gardé cela pour moi comme un
secret. J'en avais honte (peut-être en ai-je encore
honte aujourd'hui) ; j'en arrivais au point d'éprouver
une jouissance secrète, anormale, une petite jouissance ignoble à rentrer dans mon coin perdu par une
de ces nuits particulièrement dégoûtantes, que l'on
voit à Pétersbourg, et à me sentir archi-conscient
d'avoir, ce jour-là, commis une fois de plus quelque
chose de dégoûtant, qu'une fois de plus ce qui était
fait était fait, et au fond de moi-même, en secret, à me
ronger, me ronger à belles dents, à me tracasser, à me
tourner les sangs, jusqu'au moment où l'amertume
faisait enfin place à une douceur infâme, maudite, et
enfin à une définitive, une véritable jouissance. Oui, je
dis bien une jouissance. Je suis formel. C'est sûrement
pour cela que je me suis décidé à parler, il faut croire,

que je veux savoir si les autres connaissent ces jouis-
sances-là. Je m'explique : la jouissance venait justement de la conscience excessivement claire que j'avais
de mon avilissement, de ce que je me sentais acculé au
tout dernier mur ; que certes, cela allait très mal, mais
qu'il ne pouvait en être autrement ; que je n'avais plus
d'issue, que jamais je ne deviendrais un autre
homme ; que même s'il me restait assez de temps et
de foi pour me refaire, je ne l'aurais pas voulu ; et que
l'aurais-je voulu, là encore, je n'aurais rien fait, parce
qu'en réalité, ce que l'on voudrait devenir n'existe
peut-être pas. Et puis le principal, la fin des fins, c'est
que tout cela se déroule selon les lois normales et
fondamentales de l'archi-conscience et selon l'effet
d'inertie qui en découle directement ; donc, par
conséquent, non seulement il n'est pas question de se
refaire, mais il n'y a tout simplement rien à faire. Par
exemple, l'archi-conscience conduit à dire qu'on a
raison d'être une crapule, comme si cela pouvait la
consoler, la crapule, de sentir qu'elle en est une pour
de bon. Allons, cela suffit... Ah ! Je vous en ai débité,
des histoires ! Mais qu'est-ce que je vous ai expliqué ?... En quoi vous ai-je expliqué ma jouissance ?
Pourtant, je m'en expliquerai. Il faudra bien que j'aille
jusqu'au bout ! C'est bien pour cela que j'ai pris la
plume...

Tenez, par exemple : je suis terriblement fier. Je suis
ombrageux et susceptible comme un bossu, comme
un nain, mais vrai, vous pouvez me croire, j'ai connu
des moments où si l'on m'avait envoyé une gifle, j'en
aurais peut-être été heureux. Je parle sérieusement :
j'aurais certainement réussi à y trouver quelque jouissance particulière ; celle du désespoir, bien entendu,
mais le désespoir, on y trouve parfois la plus vive
jouissance, surtout lorsque l'on conçoit très fortement
que la situation est sans issue. Et là — je veux dire
dans le cas de la gifle — quel écrasement que la
conscience d'avoir été ainsi réduit en bouillie ! Le
principal, c'est que j'ai beau tourner, virer, il ressort
toujours que je suis le premier coupable, et le plus

vexant, c'est que je suis coupable sans l'être, selon les lois de la nature, pour ainsi dire. Coupable, tout d'abord, d'être plus intelligent que tout mon entourage. (Je me suis toujours trouvé plus intelligent que tout mon entourage, et parfois même – le croirez-vous ? – je m'en suis fait scrupule. En tout cas, j'ai curieusement passé ma vie à détourner les yeux, à ne jamais pouvoir regarder les gens en face.) Enfin, je suis coupable parce que même si j'avais été doté de quelque grandeur d'âme, elle n'eût fait qu'ajouter à mes tourments à moi, conscient de sa totale inutilité. Car je n'aurais sûrement rien su en faire, de ma grandeur d'âme : ni pardonner, parce que l'offenseur m'avait peut-être frappé en vertu d'une loi de la nature, et que les lois de la nature, ça n'a pas à être pardonné ; ni oublier, parce que, lois de la nature ou pas, c'est quand même vexant. Ensuite, à supposer que, renonçant à ma grandeur d'âme, j'aie, au contraire, voulu tirer vengeance de mon offenseur, j'en eusse été bien incapable, car je ne me serais probablement pas décidé à agir, même si j'en avais été capable. Pourquoi ne me serais-je pas décidé ? Je voudrais dire deux mots tout spécialement là-dessus.

III

Tenez, prenons les gens qui savent se venger et, en général se défendre : comment cela se passe-t-il ? Tenez, admettons qu'ils soient pris d'une envie de vengeance : plus rien d'autre ne subsistera en eux aussi longtemps qu'elle durera. Un monsieur de cette espèce fonce droit au but sans autre forme de procès, comme un taureau furieux, les cornes baissées ; seul un mur serait capable de l'arrêter. (A propos, devant ce mur, les messieurs de cette espèce, hommes directs, hommes d'action, lâchent ouvertement pied. Pour eux, le mur n'est pas une échappatoire comme, par

exemple, pour nous, hommes de pensée, c'est-à-dire
d'inaction ; il n'est pas le prétexte d'une volte-face,
prétexte auquel les gens de notre espèce à nous ne
croient généralement pas eux-mêmes, mais qu'ils sont
néanmoins ravis de trouver. Non, ils lâchent pied
ouvertement. A leurs yeux, le mur recèle quelque
chose de rassurant, une solution morale, libératoire et
définitive, quelque chose de mystique, dirais-je
même... Mais laissons le mur pour plus tard). Et alors,
c'est cet homme sans façons que je considère comme
vrai, normal, tel que l'a voulu notre tendre mère-
nature en l'engendrant si aimablement sur notre pla-
nète. Et cet homme, je l'envie, il m'échauffe la bile
au-delà du possible. Il est bête, je vous l'accorde, mais
peut-être qu'un homme normal doit être bête,
qu'est-ce que vous en savez ? Ça fait peut-être même
très bien. Et je suis d'autant plus convaincu de ce ... si
je puis dire, soupçon, qu'à prendre l'antithèse de
l'homme normal, c'est-à-dire l'homme archiconscient
et sorti non pas du sein de dame Nature, c'est évident,
mais d'un alambic (ça c'est quasi mystique, messieurs,
mais je suis aussi enclin à ce soupçon-là), eh bien, il
arrive à cet homme d'alambic de lâcher si totalement
pied devant son antithèse qu'il se considère lui-même,
en toute honnêteté et archi-conscience, comme une
souris et non comme un homme. Une souris archi-
consciente si l'on veut, mais enfin, une souris ; or, la
voilà devant un homme, donc et ainsi de suite... Et
puis, le principal, c'est qu'il se considère lui-même
comme une souris ; or, personne ne le lui a demandé,
et c'est là un point important. Examinons à présent
cette souris en action. Admettons, par exemple,
qu'elle aussi, on l'ait offensée (et offensée, elle l'est
presque toujours) et qu'elle aussi, elle veuille se
venger. Peut-être s'accumulera-t-il en elle encore plus
de rage que chez *l'homme de la nature et de la vérité* [3].
Le dégoûtant, le mesquin désir de rendre offense pour
offense la démange peut-être de façon encore plus
dégoûtante que *l'homme de la nature et de la vérité* [4], car
celui-ci, par suite de sa bêtise innée, considère tout

bonnement son désir de vengeance comme une chose
juste ; cependant que la souris, être archi-conscient, se
dénie toute équité. On finit par en arriver au cœur de
l'affaire, à l'acte même, à la vengeance. Outre son
abjection première, notre malheureuse souris a trouvé
le temps d'entasser autour d'elle, sous forme d'inter-
rogations et de doutes, tant d'autres abjections, elle a
joint à son problème tant de problèmes irrésolus,
qu'elle se trouve malgré elle encerclée dans un fatal
margouillis de boue puante composé de ses doutes, de
ses inquiétudes, et enfin des crachats que font pleuvoir
sur elle les hommes directs, les hommes d'action, qui
s'érigent triomphalement autour d'elle en juges, dicta-
teurs et autres personnages qui se moquent d'elle à
gorge sainement déployée. Bien entendu, il ne lui
reste plus qu'à baisser ses petites épaules et à se fau-
filer honteusement dans son trou avec un sourire de
feint mépris auquel elle ne croit pas elle-même. Là,
dans son souterrain puant, répugnant, notre souris
offensée, abattue et bafouée, sombre incontinent dans
une rage froide, fielleuse et, surtout, sempiternelle.
Quarante ans de suite, elle remâchera l'offense dans
ses derniers détails, les plus ignominieux, en ajoutant
chaque fois d'autres de son propre cru, encore plus
ignominieux, et s'abandonnant avec rage à des agace-
ments et des irritations nés de ses propres lubies. Ses
lubies, elle en aura honte elle-même, et pourtant, elle
n'oubliera rien, elle ressassera tout, inventera sur son
propre compte des histoires à dormir debout, sous
prétexte qu'elles auraient pu se produire, comme le
reste, et elle ne pardonnera rien. Ma foi, elle entre-
prendra même de se venger, mais comme ça, par
à-coups, à la petite semaine, sans quitter son poêle,
incognito, pas plus convaincue de son droit à la vengeance que du succès de son entreprise, et sachant à
l'avance qu'elle souffrira cent fois plus de ses multiples tentatives que celui qu'elle aura visé, et à qui, ma
foi, cela n'aura fait ni chaud ni froid. Sur son lit de
mort, elle refera l'inventaire complet, y compris les
intérêts accumulés pendant tout ce temps et... Mais

c'est précisément dans cette semi-confiance et ce semi-désespoir odieusement froids, dans ce chagrin qui vous pousse, en toute lucidité, à vous enterrer tout vif pendant quarante ans dans votre souterrain, plongé au prix de grands efforts dans une situation sans issue et cependant douteuse, dans le poison de ces désirs insatisfaits et rentrés, dans cette fièvre d'hésitations, de résolutions irrévocables suivies de regrets presque immédiats, que réside le suc de l'étrange jouissance dont j'ai parlé. Elle est si subtile, elle est parfois si difficile à concevoir, que des gens quelque peu bornés, ou tout simplement des gens aux nerfs solides, n'en comprendraient pas le moindre élément. « Il y en a peut-être d'autres qui n'y comprendront rien, ajoute-rez-vous, pour votre part, en ricanant : ceux qui n'ont jamais reçu de gifle », me faisant poliment entendre que vous me soupçonnez d'avoir fait l'expérience de la gifle et de parler en connaissance de cause. Je parierais que c'est ça que vous vous dites. Eh bien, rassurez-vous, messieurs, je n'ai jamais reçu de gifle. Cela dit, ce que vous pouvez penser m'indiffère totalement. Et peut-être même que c'est moi qui regrette de ne pas en avoir suffisamment distribué dans ma vie. Allons, cela suffit, pas un mot de plus sur ce sujet que vous trouvez si passionnant.

Je poursuis tranquillement mon propos sur les gens aux nerfs solides qui ne comprennent pas le raffinement de certaines jouissances. Bien qu'en certaines occurrences, par exemple, ces messieurs soient capables de gueuler comme des veaux, à gorge déployée, ce qui leur fait grandement honneur, cela ne les empêche pas, ainsi que je l'ai déjà dit, de baisser immédiatement pavillon devant l'impossible. Alors, l'impossible serait-il un mur de pierre ? Quel mur de pierre ? Bon, évidemment, les lois de la nature, les déductions des sciences naturelles, les mathématiques. Ça, une fois qu'on t'a prouvé que tu descends du singe[5], par exemple, inutile de faire la grimace, il faut bien l'avaler. Ça, une fois qu'on t'a démontré, par exemple, que, dans le fond, une parcelle de ta propre

graisse doit t'être plus précieuse que cent mille de tes
semblables et qu'en définitive c'est à cela, finalement,
que se ramène tout ce que l'on nomme vertu, devoir,
et autres chimères et préjugés, ça aussi, il faut l'avaler,
ça, il n'y a rien à faire, hein, parce que deux fois deux,
c'est mathématique. Essayez donc de soutenir le
contraire !

« Pardon, vous criera-t-on, impossible de s'in-
surger : deux fois deux font quatre. La nature ne vous
demande pas votre avis ; elle n'a rien à faire de vos
désirs, que ses lois vous plaisent ou non, elle s'en
moque. Vous êtes obligés de l'accepter telle qu'elle
est, et par conséquent tout ce qui s'ensuit. Donc, le
mur est bien le mur... etc., etc. ». Seigneur Dieu, mais
qu'ai-je à faire des lois de la nature et de l'arithmétique, si pour une raison ou pour une autre, ces lois,
ce deux fois deux quatre, ne font pas mon affaire ?
Bien entendu, ce mur, je ne le crèverai pas à coups de
tête si je n'en ai réellement pas la force, mais moi, je
n'en prendrai pas mon parti non plus pour l'unique
raison que moi, je suis au pied d'un mur de pierre et
que la force m'a manqué.

Comme si ce mur de pierre pouvait en vérité m'apporter l'apaisement et recelait en vérité ne fût-ce
qu'une parole de conciliation, uniquement parce qu'il
est deux fois deux quatre. O absurdité des absurdités !
Autre chose serait de tout comprendre, d'être
conscient de tout, de toutes les impossibilités, de tous
les murs de pierre ; de ne s'accommoder d'aucune de
ces impossibilités, d'aucun de ces murs de pierre, si
cet accommodement vous est odieux ; parvenir, par la
voie des combinaisons logiques les plus inéluctables
aux conclusions les plus révoltantes, sur ce thème
éternel que l'on est, quelque part, coupable du mur de
pierre aussi, bien que — je le répète — l'évidence que
l'on n'y est pour rien crève les yeux, en conséquence
de quoi, sans forces, muet et grinçant des dents, on se
fige dans une voluptueuse inertie, on songe qu'en
somme, il n'y a même personne contre qui tourner sa
rage ; qu'on n'en a aucune raison et qu'on n'en aura

peut-être jamais, qu'il y a substitution, truquage, tricherie, qu'on est en pleine mélasse : impossible de savoir de quoi et de qui il s'agit ; mais malgré ces incertitudes et ces truquages, cela vous fait mal, et moins vous en savez, plus vous avez mal.

IV

« Ha, ha, ha ! après cela, vous trouveriez matière à jouissance jusque dans une rage de dents ! » vous exclamerez-vous en éclatant de rire.

— Et pourquoi pas ? vous répondrai-je, la rage de dents ne va pas sans jouissance. J'ai eu mal aux dents un mois d'affilée, je sais que jouissance il y a. Évidemment, là, on ne rage point en silence : on geint ; mais ces gémissements ne vont pas sans artifice, ils sont sournois, et c'est justement la sournoiserie qui fait tout le sel de l'affaire. C'est dans ces gémissements que s'exprime la jouissance de celui qui souffre ; car s'il n'en éprouvait pas, il ne se donnerait pas la peine de gémir. L'exemple est bon, messieurs, et je vais le développer. Ces gémissements expriment d'abord la parfaite inutilité — si humiliante pour notre conscience — de notre douleur ; toute la légitimité de la nature sur laquelle, bien entendu, on crache, mais dont on souffre quand même, et elle non, voyez-vous ça ! Ils disent qu'on est conscient de ne pas se trouver d'ennemi, mais qu'on souffre quand même ; conscient que les Wagenheim[6] de tout poil n'y peuvent rien, qu'on est entièrement esclave de ses dents ; que si quelqu'un le veut, elles cesseront de vous faire mal, mais s'il ne le veut pas, cela peut durer trois mois de suite ; et enfin, que si l'on n'est toujours pas d'accord et que l'on s'obstine à protester, il ne reste plus, pour sa consolation personnelle, qu'à s'administrer soi-même une bonne raclée ou à envoyer quelques coups de poing bien douloureux dans son mur, et stricte-

ment rien de plus. Et alors, c'est justement de ces
injures sanglantes, de cette dérision venue on ne sait
d'où, que naît une jouissance qui atteint parfois le
comble de la volupté. Je vous en prie, messieurs,
prêtez un jour l'oreille aux gémissements d'un homme
cultivé du XIXe siècle qui souffre des dents, comme ça,
vers le deuxième ou le troisième jour de sa maladie,
lorsqu'il commence déjà à gémir autrement qu'au premier jour, c'est-à-dire pas uniquement à cause de la
douleur ; pas comme quelque fruste moujik, mais
comme un homme touché par le progrès et la civilisation européenne, comme un homme « détaché du sol
natal et des principes nationaux[7] », comme on dit à
présent. Ses gémissements se font écœurants, hargneux, infects et durent des nuits et des jours entiers.
Pourtant il sait bien qu'il n'en tirera aucun avantage ;
il sait mieux que personne qu'il s'échine et s'énerve en
pure perte, et les autres avec lui ; il sait que même le
public devant lequel il s'escrime, et sa famille entière
se sont, non sans répulsion, habitués à ses cris, qu'ils
ne lui font plus un liard de confiance et se rendent
compte sans rien dire, qu'il pourrait gémir autrement,
avec plus de simplicité, sans roulades ni contorsions,
et que s'il s'amuse à cela, ce n'est que par méchanceté
et par sournoiserie. Or, voyez-vous, c'est justement
dans ces états de conscience et de honte que se cache
la volupté. Autant dire : « Je vous dérange, je vous
fends le cœur, j'empêche toute la maisonnée de
dormir. Eh bien, justement, ne dormez pas, sentez,
vous aussi, à chaque minute, que j'ai mal aux dents. Je
ne suis plus le héros pour lequel je voulais me faire
passer, rien d'autre qu'un triste sire, qu'un *chenapan*★.
Et alors ? Ainsi soit-il ! Je suis ravi que vous m'ayez
percé à jour. Cela vous soulève le cœur d'entendre
mes sales petites plaintes ? Eh ! Laissez-le se soulever !
Tenez, je vais vous gratifier d'une roulade encore plus
écœurante... » Et vous n'avez toujours pas compris,
messieurs ? Non, sans doute faut-il avoir atteint à un
profond développement, à une profonde prise de
conscience pour comprendre tous les méandres de

cette volupté. Vous riez ? Vous m'en voyez ravi. Évidemment, mes plaisanteries sont de mauvais goût, messieurs, inégales, embrouillées, elles manquent d'assurance. Eh quoi ? Cela, c'est parce que je ne me respecte pas moi-même. Mais comment un homme conscient le pourrait-il ?

V

Je vous le demande, peut-on vraiment avoir le moindre respect envers soi-même, lorsqu'on a eu l'audace de découvrir de la volupté dans sa propre déchéance. Ce que j'en dis, ce n'est pas poussé par quelque fade repentir. D'ailleurs, j'ai toujours eu horreur de dire : « Pardon, père, je ne recommencerai plus », non que je fusse incapable de le dire, mais au contraire peut-être, parce que je n'en étais que trop capable, et comment encore ! Dans ces cas-là, je me laissais pincer comme par un fait exprès, alors que je n'étais coupable ni de près ni de loin. Ça, alors, c'était le plus dégoûtant de tout ! Ce faisant et derechef, je m'attendrissais, me repentais, versais des larmes et me blousais moi-même, et là, il n'était plus question de comédie. C'était mon cœur qui me jouait ce tour de cochon... Et là, il n'y avait plus à accuser les lois de la nature, ces mêmes lois qui m'ont traité si injustement, sans arrêt, durant toute ma vie. Soulever tous ces souvenirs dégoûte, mais ce furent des moments dégoûtants. Car, une minute plus tard, je me rendais compte avec rage que tout cela n'était que mensonge, un mensonge révoltant, une comédie, je veux dire tous ces repentirs, ces attendrissements, ces promesses de régénération. Vous me demanderez pourquoi je me contrefaisais et ne tourmentais ainsi ? Réponse : parce que je m'ennuyais vraiment trop à rester les bras croisés ; c'est pour cela que je me lançais hardiment dans la contorsion. Ma parole ! Observez-vous un peu mieux vous-mêmes, messieurs, alors, vous comprendrez que c'est comme cela. Je m'inventais des aventures, je m'inventais une vie, pour avoir vécu quand même, tant bien que mal. Que de fois il m'est arrivé — tenez, à titre d'exemple — ne serait-ce que de prendre la mouche, comme ça, sans raison, exprès ; et je le savais moi-même que je l'avais prise pour rien, que je m'étais monté, mais on arrive à s'échauffer à un tel point qu'à la fin, parole d'honneur, on se retrouve vexé pour de bon. Toute la vie, j'ai été poussé à me lancer dans des numéros de ce genre, si bien que j'ai fini par perdre tout empire sur moi-même. Et puis aussi, et même deux fois, j'ai voulu me forcer à tomber amoureux. C'est que j'ai souffert, messieurs, je vous l'assure. Au fond de soi-même, on ne croit pas qu'on souffre, il y grouille même un peu d'ironie, mais on souffre quand même pour de bon, dans toutes les règles ; j'étais jaloux, je sortais de mes gonds... Et tout cela par ennui, messieurs, rien que par ennui : l'inertie m'accablait. Car le fruit direct, légitime, immédiat de la conscience, c'est l'inertie, c'est le croisement-de-bras délibéré. J'y ai déjà fait allusion plus haut. Je le répète, je l'archi-répète : si tous les hommes directs et les hommes d'action sont actifs, c'est précisément parce qu'ils sont obtus et bornés. Comment expliquer cela ? Eh, comme ceci : ayant l'esprit borné, ils prennent les causes immédiates et les causes secondaires pour les causes premières, et se convainquent ainsi, plus vite et plus facilement que les autres, qu'ils ont trouvé le fondement indiscutable de leur activité, et là-dessus, ils se calment ; et cela, c'est le principal. Car, pour commencer à agir, il faut au préalable être pleinement rassuré, ne plus conserver le moindre doute. Or, comment voulez-vous que je me rassure, moi, par exemple ? Où sont les causes premières sur lesquelles je pourrais m'appuyer, où est mon fondement ? Où voulez-vous que je les prenne ? Je m'exerce à la réflexion et par conséquent, pour moi, toute cause première en amène immédiatement une autre encore plus première, et ainsi de suite à l'infini. Telle est

précisément l'essence de toute conscience et de toute
réflexion. Donc là, on retombe sur les lois de la
nature. Et alors, qu'est-ce qui en résulte finalement ?
Eh, la même chose. Rappelez-vous : tout à l'heure, je
vous parlais de vengeance. (Mais vous n'êtes sûrement
pas allé au fond des choses.) Je vous l'ai dit : l'homme
cherche à se venger parce qu'il trouve cela juste.
Donc, il a trouvé une cause première, un fondement :
en l'espèce, la justice. Comme cela, il est rassuré de
tous les côtés, et par conséquent il se venge avec assurance et avec succès, convaincu qu'il est de faire
quelque chose d'honnête et de juste. Or moi, je n'y
vois aucune justice, je n'y trouve aucune vertu, et par
conséquent, si j'entreprenais de me venger, ça ne
pourrait être que par méchanceté. Évidemment, la
méchanceté pourrait l'emporter sur tout, sur tous mes
doutes, et par conséquent me servir avec un succès
certain de cause première, précisément parce que ce
n'est pas une cause du tout. Mais que faire si je ne
suis même pas méchant ? (Car c'est bien par là que
j'ai commencé, tantôt.) Ma hargne — et une fois de
plus par suite de ces maudites lois de la conscience —
se décompose chimiquement. Hop ! Et voilà l'objet
volatilisé, les raisons évaporées, le coupable disparu ;
l'offense cesse d'être une offense pour devenir fatalité,
quelque chose comme une rage de dents dont personne n'est responsable, ce qui fait qu'il ne me reste
toujours que la seule et même issue : cogner encore
plus douloureusement contre le mur. Alors, comme
on n'a pas trouvé de cause première, on y renonce. Et
si j'essayais de me laisser emporter par mon sentiment
les yeux fermés, sans raisonner, sans cause première,
en faisant taire ma conscience, ne serait-ce que pour
un temps, si je me mettais à haïr ou à aimer — qu'importe — tout plutôt que de rester les bras croisés ?
Après-demain, dernier délai, je commencerais à me
mépriser de m'être bloqué moi-même en connaissance
de cause. Résultat : bulle de savon et inertie. Ah, messieurs ! C'est que si je me crois intelligent, c'est peut-
être uniquement parce que, toute ma vie, je n'ai

jamais rien pu entreprendre ni achever. Admettons
que je suis un bavard inoffensif, un assommant
bavard, comme nous tous, admettons-le. Mais
qu'est-ce qu'on y peut, si l'unique et directe mission
de tout homme intelligent est de bavarder, c'est-à-dire
de transvaser volontairement du creux dans du vide.

VI

Ah ! si je ne faisais rien uniquement par paresse !
Mon Dieu, comme je me respecterais ! Je me respecterais, justement parce que je serais capable d'abriter
au moins de la paresse ; je posséderais au moins un
attribut en apparence positif dont, moi aussi, je serais
sûr. Question : qui est-il ? Réponse : un paresseux ;
mais c'est que ce serait diantrement agréable à entendre ! Donc, je possède une définition positive, donc on
peut dire quelque chose de moi : « Un paresseux ! » —
mais voyons, c'est un titre, une mission, c'est une carrière, s'il-vous-plaît ! Ne plaisantez pas, c'est comme
cela. Je deviens membre de droit du premier de tous
les clubs et m'occupe uniquement de me respecter
moi-même sans désemparer. J'ai connu un monsieur
pour qui la fierté de sa vie fut de s'y connaître en
château-lafite. Il considérait cela positivement comme
un mérite et ne douta jamais de lui-même. Il mourut
la conscience mieux que tranquille : triomphante. Et il
avait parfaitement raison. Moi, dans ce cas, je me
serais choisi une carrière : j'aurais été un paresseux et
un goinfre, mais pas un paresseux et un goinfre vulgaire : je me serais, par exemple, déclaré en accord
avec tout le beau et le sublime. Qu'est-ce que vous en
dites ? Moi, j'en ai longtemps rêvé. A quarante ans, je
me retrouve la nuque sérieusement alourdie par ce
« beau et ce sublime » ; mais ça, c'est au bout de
quarante ans, tandis que dans l'autre cas — ah ! dans
l'autre cas, tout eût été différent. Je me serais immé-

diatement trouvé une activité adéquate — à savoir :
j'aurais passé ma vie à boire au beau et au sublime.
Toutes les occasions m'auraient été bonnes pour vider
ma coupe en l'honneur du beau et du sublime, non
sans y avoir, au préalable, laissé tomber une larme.
Dans l'autre cas, j'aurais transformé le monde entier
en beau et en sublime ; je les aurais découverts dans
l'ordure la plus dégoûtante, la plus incontestée. Je
serais devenu aussi larmoyant qu'une éponge
mouillée. Mettons qu'un peintre exécute un tableau
dans la manière de Gay[8]. Je bois aussitôt à la santé
dudit peintre, parce que j'aime le beau et le sublime.
Un auteur écrit « *Comme chacun voudra*[9] » ; aussitôt je
bois à la santé de « qui l'on voudra », parce que j'aime
« le beau et le sublime ». En échange, j'exige le respect,
je poursuis quiconque ne me respecte pas. Je vis pai-
siblement, je meurs solennellement — mais c'est une
merveille ! Une véritable merveille ! Et alors, je me
serais laissé pousser une de ces panses ! accumuler un
de ces triples mentons ! élaboré un nez si superbement
lie-de-vin que le premier chien coiffé que j'aurais
croisé dans la rue, aurait dit en me voyant : « Ça c'est
quelqu'un ! Ça c'est du positif — et du vrai ! »
Dites-en ce que vous voudrez, mais il est diantrement
agréable de s'entendre apprécier ainsi en ce siècle
négateur, messieurs !

VII

Mais tout cela n'est que rêves dorés. O ! dites-moi
qui, le premier, a déclaré, qui, le premier, a proclamé
que l'homme ne commet de saletés que parce qu'il
ignore ses véritables intérêts ? Mais que si on l'éclairait, si on lui ouvrait les yeux sur ses intérêts véritables, normaux, il cesserait aussitôt de les commettre,
ces saletés, il deviendrait aussitôt bon et noble, car
étant éclairé et comprenant ses intérêts réels, c'est pré-

cisément dans le bien qu'il trouverait son avantage[10],
or, on sait que personne n'irait, en connaissance de
cause à l'encontre de ses intérêts, et par conséquent, il
irait faire le bien par pure nécessité ? O chérubin ! ô
pur et innocent enfant ! Mais où avez-vous vu, en tant
de millénaires, l'homme se laisser guider par son
propre avantage ? Que faire de ces millions de faits qui
témoignent qu'*en pleine connaissance de cause,* c'est-
à-dire sachant parfaitement où est leur avantage réel,
des hommes l'ont repoussé au second plan et se sont
lancés dans une tout autre voie, risquée, hasardeuse,
sans que rien ni personne ne les y obligeât, mais
comme si, précisément, ils voulaient surtout éviter le
chemin tout tracé, et s'en frayer obstinément, délibérément, un autre, ardu, absurde, qu'ils allaient chercher presque dans les ténèbres ? C'est donc que cette
obstination, cette liberté les attiraient bien plus que
leur avantage... L'avantage ! Qu'est-ce que l'avantage ? Et vous chargeriez-vous de me définir très exactement en quoi consiste celui des hommes ? Et s'il
arrivait *parfois* non seulement qu'ils puissent, mais
qu'ils doivent désirer un préjudice au lieu d'un avantage ? C'est que s'il en est ainsi, si cela est simplement
possible, la règle tout entière s'envole en fumée.
Qu'est-ce que vous en dites ? Vous croyez que ça peut
arriver ? Vous riez ; riez, messieurs, mais répondez-
moi : les avantages de l'homme ont-ils été rigoureuse-
ment dénombrés ? N'y en a-t-il pas qui ne sont entrés
dans aucune classification, bien plus : qui ne le pourraient même pas ? Car, autant que je sache, messieurs,
tout votre répertoire des avantages humains, vous
l'avez établi d'après les chiffres moyens de données
statistiques et de formules de sciences économiques.
Car ce que vous appelez « avantages », c'est la prospérité, la richesse, la liberté, la tranquillité — bon, et
ainsi de suite et ainsi de suite ; de sorte qu'un homme
qui irait nettement et en connaissance de cause à l'encontre de votre liste, serait, selon vous — selon moi
aussi, d'ailleurs, c'est évident, — un obscurantiste ou
un fou, n'est-ce pas ? Mais alors, voilà ce qui

m'étonne : comment se fait-il que tous ces statisti-
ciens, ces sages et ces amis du genre humain, lorsqu'ils énumèrent les avantages des hommes, en omet-
tent constamment un ? Ils n'en tiennent même pas
compte dans les formes requises ; or, c'est de cela que
dépend tout le calcul. Le malheur ne serait pas bien
grand, il suffirait de le prendre, cet avantage, et de
l'introduire dans la liste. Mais c'est là que le bât
blesse : cet embarrassant avantage ne s'insère dans
aucune classification, ne s'inscrit dans aucune liste.
Tenez, j'ai un ami... Ah, messieurs ! il est aussi le
vôtre ; de qui ne l'est-il pas, seulement ! Se préparant
à agir, ce monsieur vous exposera, en phrases grandi-
loquentes et claires, comment il doit se comporter
selon les lois de la raison et de la vérité. Bien plus : il
vous parlera avec émotion, avec passion, des véritables
intérêts, des intérêts normaux de l'homme ; il reprochera avec ironie aux sots à courte vue de ne rien
comprendre à leurs avantages ni à la véritable signification de la vertu ; mais un quart d'heure plus tard,
pas une minute de plus, sans aucune raison, sans
cause fortuite, mû uniquement par une impulsion
intérieure plus forte que les considérations d'intérêt, il
vous jouera un tout autre air de flûte, c'est-à-dire qu'il
ira tout uniment à l'encontre de ce dont il vient de
parler : les lois de la raison, son propre intérêt, bref,
en un mot, à l'encontre tout... Je dois vous avertir que
mon ami est un personnage collectif et, par conséquent, qu'il serait assez difficile de n'accuser que lui.
Nous y voilà, messieurs ! N'existerait-il pas quelque
chose à quoi tout homme attache plus de prix qu'à ses
avantages les plus précieux ou (cette fois pour ne pas
contrevenir à la logique) n'existerait-il pas un avantage
plus avantageux que les autres (précisément celui qui
a été omis, et dont nous venons de parler) au nom
duquel, si cela s'avérait nécessaire, l'homme serait
prêt à aller à l'encontre de toutes les lois, c'est-à-dire
de la raison, de l'honneur, de la tranquillité, de la
prospérité — en un mot, contre ces belles et bonnes
choses, pourvu seulement qu'il atteigne cet avantage

premier, cet avantage le plus avantageux, auquel il
attache le plus de prix.

— Bon, il s'agit quand même d'avantage, m'inter-
romprez-vous. — Je vous demande bien pardon, nous
nous en expliquerons tout à l'heure. Et puis ce qui compte,
ce n'est pas de jouer sur les mots, c'est que l'avantage
dont je parle a ceci de remarquable qu'il détruit toutes
nos classifications et renverse régulièrement tous les systèmes établis par les amis du genre humain pour le bonheur du même. Bref, qu'il fiche tout en l'air. Mais avant
de vous nommer cet avantage, je veux me compromettre personnellement ; j'ai donc l'audace de pro-
clamer que tous ces beaux systèmes, que toutes ces théories visant à expliquer à l'humanité ses intérêts véritables,
normaux, afin que, tendant nécessairement à se les
acquérir, elle devienne aussitôt vertueuse et noble, ne
sont, autant que je puisse en juger, que pure logistique.
Ça alors, pure logistique ! Car soutenir ne serait-ce que
cette théorie de la rénovation du genre humain par le
système de ses propres avantages, à mon avis, mais voyons !
cela équivaut presque... tiens ! à affirmer par exemple, à
la suite de Buckle, que la civilisation adoucit l'homme et
par conséquent le rend moins sanguinaire et moins apte
à la guerre[11]. C'est bien le raisonnement logique qui
l'amène à cela. Mais l'homme est tellement passionné
de système et de déductions abstraites, qu'il est prêt à
déformer sciemment la vérité, à se boucher les yeux et
les oreilles, pourvu seulement qu'il justifie sa logique. Si
je choisis cet exemple, c'est bien parce qu'il est singu-
lièrement éclatant. Mais regardez bien autour de vous !
Il coule des fleuves de sang, et si joyeusement, par-
dessus le marché, qu'on dirait du champagne. Tenez,
regardez notre XIXe siècle, celui de Buckle ! Regardez les
Napoléons, le grand et celui d'aujourd'hui. Regardez
l'Amérique du Nord, ces États perpétuellement unis !
Regardez enfin le dérisoire Schleswig-Holstein[12]... ! Alors,
qu'adoucit-elle en nous, la civilisation ? La civilisation
ne fait que développer en nous la diversité des sensations et... strictement rien d'autre. Et cette diversité, il
pourrait bien se faire qu'elle poussât un jour l'homme

jusqu'à se délecter de sang. Cela lui est déjà arrivé, d'ailleurs. Vous êtes-vous aperçu que les sanguinaires les plus raffinés furent presque toujours des messieurs extrêmement civilisés à qui, bien souvent, tous vos Attila et vos Stenka Razine n'arrivaient même pas à la cheville ? Et s'ils ne vous sautent pas aux yeux comme autant d'Attila et de Stenka Razine, c'est justement parce qu'on les rencontre trop souvent, qu'ils sont monnaie courante, que l'œil s'y est fait. Le moins qu'on puisse dire, c'est que si la civilisation n'a pas rendu l'homme plus sanguinaire, elle a rendu sa soif de sang plus maligne, plus abjecte qu'autrefois. Autrefois, lorsqu'il versait le sang, il n'y voyait que justice et supprimait qui il fallait d'une âme sereine ; mais aujourd'hui, nous avons beau considérer avec dégoût le sang versé, cette dégoûtation, nous nous y livrons quand même, et davantage qu'autrefois. Qu'est-ce qui est pire ? A vous de voir. On dit que Cléopâtre (excusez cet exemple emprunté à l'Histoire romaine) s'amusait à enfoncer des épingles en or dans les seins de ses esclaves et se délectait de leurs cris et de leurs contorsions. Vous me direz que c'était à une époque relativement barbare ; et qu'aujourd'hui, nous vivons une époque également barbare, parce qu'aujourd'hui encore (et toujours à relativement parler) on enfonce encore des épingles ; qu'aujourd'hui encore, bien que l'homme ait appris à y voir parfois plus clair qu'à l'époque barbare, il est loin d'avoir *pris l'habitude* d'agir comme le lui soufflent les sciences et sa raison. Malgré cela, vous êtes tout à fait sûrs qu'il y parviendra lorsqu'il aura complètement perdu certains vieux travers, lorsque la science et le bon sens auront radicalement réformé la nature humaine et l'auront placée sur sa pente normale. Vous êtes convaincus qu'à ce moment-là, l'homme cessera de se tromper *délibérément* lui-même et en arrivera, pour ainsi dire malgré lui, à refuser de dissocier sa volonté de ses intérêts normaux. Plus encore : vous dites qu'alors, la science enseignera à l'homme (bien qu'à mon avis, alors là, ce soit du luxe) qu'il ne possède, à vrai dire, ni volonté ni caprice, et d'ailleurs qu'il n'en a jamais possédé, et qu'il n'est rien d'autre qu'une espèce de touche de piano ou de tirette d'orgue, et que par-dessus le marché, il y a les lois de la nature ; de sorte que tout ce qu'il fait, n'est pas l'effet de son vouloir, mais se produit tout seul, conformément à ces lois. Par conséquent, il suffit de les découvrir : ensuite, l'homme ne répondra plus de ses actes et la vie deviendra extraordinairement facile. A ce moment-là, tous ses actes auront évidemment été calculés mathématiquement en fonction de ces lois, un peu comme la table des logarithmes, jusqu'à 108 000, et reportés dans le calendrier ; ou, mieux encore, on verra paraître une publication bien intentionnée, du genre de nos dictionnaires encyclopédiques actuels où tout sera affecté d'un symbole et calculé avec tant de précision, qu'il n'y aura plus sur terre ni action ni aventure.

A ce moment-là (c'est toujours vous qui parlez) s'établiront de nouveaux rapports économiques, tout prêts et, eux aussi, calculés avec une rigueur mathématique, de telle sorte qu'on verra en un clin d'œil disparaître tous les problèmes possibles, pour cette bonne raison, en somme, qu'ils auront reçu toutes les réponses possibles. A ce moment-là, on verra s'élever le palais de cristal[13]. A ce moment-là... en un mot, à ce moment-là on verra l'Oiseau-Kagan[14] arriver à tire d'aile. Bien sûr, il est impossible de garantir (cette fois, c'est moi qui parle) qu'à ce moment-là, on ne s'ennuiera pas à crever (parce que qu'est-ce qu'il vous reste à faire, quand tout est réparti d'avance sur une table de calcul ?), mais pour la peine, tout sera extraordinairement raisonnable. Évidemment, ce qu'on peut aller chercher, quand on s'ennuie ! C'est que les épingles d'or, c'est aussi par ennui qu'on les enfonce, et tout ça, ça ne serait encore rien. Ce qui ne va pas (ici, c'est encore moi qui parle), c'est qu'à ce moment-là, ma foi, on sera peut-être content de les trouver, les épingles d'or. C'est que l'homme est bête, phénoménalement bête. Ou plutôt, il n'est pas bête du tout, mais pour la peine, tellement ingrat qu'on ne trouverait pas pire. Moi, par exemple, je ne trouverais rien d'étonnant si au milieu de ce futur bon sens général, surgissait sans crier gare un gentleman aux traits sans noblesse, ou — le mot est plus juste — rétrogrades et railleurs, qui, les poings collés aux hanches, nous dirait à tous : « Dites-donc, messieurs, si on envoyait promener le bon sens une bonne fois pour toutes dans le seul but d'expédier tous vos logarithmes au diable et de nous remettre à vivre selon notre sot plaisir ? » Ce ne serait encore rien, ce qu'il y a de vexant, c'est qu'il est sûr de trouver des émules : l'homme est ainsi fait. Et tout cela, pour la plus bête des raisons, une raison dont, à première vue, il ne vaudrait même pas la peine de parler : très exactement celle-ci, que l'homme, quel qu'il soit, a toujours et partout voulu agir à sa guise et non comme le lui prêchaient sa raison et son intérêt ; car on peut vouloir contre son intérêt, on en a parfois même *positivement le devoir* (ça, c'est une idée à moi). Son propre, son libre vouloir, son propre et même son plus extravagant caprice, sa fantaisie, parfois exaspérée jusqu'à la démence, c'est en cela, justement, que réside cet avantage le plus avantageux qui avait été omis, qui ne se plie à aucune classification et à cause duquel tous les systèmes et théories fichent constamment le camp aux cinq cent mille diables. Et où ont-ils pris, tous ces sages, que l'homme avait besoin d'un vouloir normal, d'un vouloir vertueux ? Qu'est-ce qui leur permet de croire que l'homme a absolument besoin d'un vouloir raisonnable, avantageux ? L'homme n'a besoin que d'une chose : d'un vouloir *indépendant*, quel que soit le prix de cette indépendance et son aboutissement. Et puis, le vouloir, du diable si...

VIII

— Ha-ha-ha ! mais le vouloir, en fait, si vous voulez, ça n'existe pas ! m'interrompez-vous en éclatant de rire. A l'heure actuelle, la science est si bien parvenue à disséquer l'homme qu'on sait dès à présent que le

vouloir et le soi-disant libre arbitre ne sont rien
d'autre que...

— Un instant, messieurs ! J'avais moi-même l'intention de commencer ainsi. Je l'avoue : vous m'avez
même fait peur. J'allais justement m'écrier, ma foi,
que seul le diable sait de quoi dépend le vouloir et ce
que c'est, Dieu en soit loué, puis j'ai repensé à la
science et... je me suis senti couler. Alors, vous avez
repris la parole. Non mais vraiment, si un beau jour
on trouvait, pour de bon, la formule de tous nos
caprices et vouloirs, je veux dire de ce dont ils dépen-
dent, selon quelles lois ils prennent naissance,
comment au juste ils se propagent, vers quoi ils ten-
dent, dans tel ou tel cas, etc., etc. c'est-à-dire une
véritable formule mathématique, mais alors, dans ce
cas, ma foi... l'homme cesserait probablement aussitôt
de penser, ou même, ma foi... cesserait certainement
de penser. Voyons, quel plaisir y a-t-il à vouloir
conformément à une table de calcul ? Et ce n'est pas
tout : d'homme qu'il était, il se transformerait sur
l'heure en tirette d'orgue ou quelque chose dans ce
goût-là ; car qu'est-ce qu'un homme sans désirs, sans
volonté et sans vouloir, sinon l'une des tirettes d'un
sommier d'orgue ? Qu'est-ce que vous en dites, on
compte les chances que ça a d'arriver ?

— Hum... tranchez-vous, nos vouloirs sont, dans la
plupart des cas, erronés, parce que nous voyons notre
avantage de façon erronée. Et si nous voulons parfois
de pures inepties c'est que nous y voyons, notre bêtise
aidant, la voie la plus facile vers l'accession à l'avantage supputé. Bon, et alors quand on aura tout
expliqué, tout réparti mathématiquement sur un bout
de papier (ce qui est très possible, car il serait odieux
et insensé de croire d'avance que certaines lois de la
nature demeureront ignorées de l'homme), alors, for-
cément, ce que l'on appelle les désirs aura cessé
d'exister. Car si, un jour, le vouloir s'affilie intégrale-
ment avec la raison, nous raisonnerons, mais nous
aurons cessé de vouloir, pour cette raison, en somme,
qu'on ne peut, par exemple, à la fois conserver sa

raison, et *vouloir* des inepties, aller ainsi, en connaissance de cause à l'encontre du bon sens et se vouloir
du mal... Et comme tous les vouloirs et tous les raisonnements pourront vraiment être calculés à
l'avance, car il arrivera bien, un jour, que l'on
découvre les lois de notre soi-disant libre arbitre,
blague à part, on nous établira peut-être quelque
chose dans le genre d'une table de calcul, et nous
nous mettrons réellement à vouloir conformément à
ses chiffres. Par exemple, si l'on me détermine mathématiquement et si l'on me prouve, un jour, que si j'ai
fait la figue à Untel, c'est justement que je ne pouvais
pas ne pas la faire et obligatoirement avec tel doigt,
mais alors, que restera-t-il en moi de *liberté,* surtout si
j'ai de l'instruction, si j'ai fait des études scientifiques
quelque part ? Car, dans ces conditions, je pourrai
calculer ma vie trente ans à l'avance ; bref, si cela
s'arrange ainsi, mais c'est que nous n'aurons plus rien
à faire ! n'importe comment, il faudra l'accepter. Et
puis, en général, nous devons nous répéter sans
relâche qu'à tel moment et dans telles circonstances,
la nature ne nous demande pas notre avis ; que nous
devons l'accepter telle qu'elle est et non telle que la
rêve notre fantaisie, et que si nous aspirons vraiment à
la table et au calendrier, et puis au... et puis quand ça
ne serait qu'à l'alambic, alors, que faire ? Il faut aussi
accepter l'alambic, sinon il sera accepté sans que nous
ayons à donner notre avis...

— Je vois ! Mais voilà, justement le *hic.* Excusez-
moi, messieurs, si je philosophaille, songez-y : quarante ans de vie souterraine ! laissez-moi débonder un
peu ma fantaisie. Voyez-vous, n'est-ce pas, messieurs,
la raison est une bonne chose, c'est indiscutable, mais
la raison n'est jamais que la raison et ne satisfait que la
faculté raisonnante de l'homme, tandis que le vouloir
est la manifestation de toute une vie, je veux dire de
toute la vie d'un homme, y compris et sa raison et tout
ce qui le démange. Et quoique dans cette manifesta-
tion-là, notre vie semble bien souvent ne pas valoir
tripette, c'est quand même la vie, et pas seulement

l'extraction d'une racine carrée. Tenez, moi, par exemple, tout naturellement, je ne veux vivre que pour satisfaire entièrement mon aptitude à vivre et non pour satisfaire uniquement mon aptitude à raisonner, c'est-à-dire un quelconque vingtième de l'ensemble de mon aptitude à vivre. Que sait la raison ? La raison ne sait que ce qu'elle a eu le temps d'apprendre (et il y a des choses qu'elle n'apprendra, je crois bien, jamais ; ce n'est pas une consolation, mais pourquoi ne pas le dire ?), tandis que la nature humaine agit dans tout son ensemble, avec tout ce qu'elle possède de conscient ou d'inconscient, et bien qu'elle dise faux, elle vit. Messieurs, je vous soupçonne de me considérer avec compassion ; vous me répétez qu'un homme éclairé et cultivé, bref, tel que sera l'homme futur, ne saurait, en connaissance de cause, vouloir quelque chose qui le désavantage, que c'est mathématique. Absolument d'accord : c'est mathématique. Mais je vous le répète pour la centième fois, il y a un seul cas, un seul, où l'homme peut exprès et consciemment désirer quelque chose de nuisible, de bête, de très bête même. Lequel ? Celui d'*avoir le droit* de se vouloir la chose la plus bête et de ne pas être entravé par l'obligation de ne désirer que des choses intelligentes. Car cette bêtise extrême, ce caprice personnel est peut-être, messieurs, ce que la terre peut véritablement nous offrir de plus avantageux, à nous autres, surtout dans certains cas. En particulier peut-être est-ce le plus avantageux des avantages, alors même qu'il nous fait incontestablement tort et contredit les conclusions les plus saines de notre raison quant au profit, parce qu'en tout cas, il préserve ce que nous avons de plus important et de plus cher, c'est-à-dire notre personnalité et notre individualité. Tenez, il y en a qui affirment que c'est vraiment ce que l'homme a de plus précieux ; naturellement, s'il le veut, le vouloir peut se mettre d'accord avec la raison, surtout s'il n'en abuse pas et ne le fait qu'avec modération ; cela est en même temps utile, voire dans certains cas, digne d'éloges. Mais très souvent, et même dans la plupart des cas, le vouloir s'obstine à demeurer en désaccord total avec la raison et... et... et savez-vous que cela aussi, c'est utile, voire dans certains cas digne des plus vifs éloges ? Admettons, messieurs, que l'homme n'est pas bête. (Et ça vraiment, on ne peut en aucun cas prétendre qu'il l'est, ne serait-ce que pour cette seule raison que s'il est bête, alors qui sera intelligent ?) Mais s'il n'est pas bête, il est monstrueusement ingrat ! Phénoménalement ingrat. Je pense même que sa meilleure définition est la suivante : créature bipède et ingrate. Mais ce n'est pas tout ; ce n'est pas encore son principal défaut ; le pire, c'est son éternelle immoralité, éternelle, depuis le Déluge et jusqu'à la période schleswig-holsteinoise des destinées humaines. Son immoralité, et par conséquent son manque de sagesse ; car on sait depuis belle lurette que l'une découle de l'autre. Essayez donc de jeter un coup d'œil à l'histoire de l'humanité ; alors ? Qu'est-ce que vous y verrez ? De la grandeur ? Ma foi, va pour la grandeur ! Rien que le colosse de Rhodes, c'est quelque chose ! Ce n'est pas pour rien que, selon M. Anaïevski[15], les uns soutiennent qu'il est sorti des mains de l'homme et les autres qu'il est l'œuvre de la nature elle-même. De la variété ? Ma foi, va pour la variété ! Rien qu'à démêler les grands uniformes civils et militaires de tous les peuples à travers tous les siècles, rien que ça, ce n'est pas une mince affaire, sans parler des petites tenues des fonctionnaires, parce qu'alors là, le diable lui-même n'y retrouverait pas ses petits ; aucun historien n'y résisterait. De la monotonie ? Va pour la monotonie : on ne fait que se battre, on se bat aujourd'hui, on se battait autrefois, on s'est battu après... Vous admettrez que c'est par trop monotone ! En un mot, on peut tout dire de l'histoire universelle, tout ce qui pourrait venir à l'esprit de l'imagination la plus déréglée. La seule chose qu'on ne puisse pas en dire, c'est qu'elle est raisonnable. Le premier mot vous resterait en travers de la glotte. Et voici même ce qui vous arrive tout le temps : dans la vie, à chaque instant, on tombe sur des gens de bonne

conduite et raisonnables, des sages, des amis du genre
humain qui se fixent précisément pour but de marcher
aussi droit, aussi raisonnablement que possible,
d'éclairer pour ainsi dire la route de leur prochain,
afin de lui prouver, en somme, que l'on peut réellement vivre sagement et raisonnablement sur cette
terre. Et alors ? On le sait bien : nombreux sont ceux
qui, tôt ou tard, sur la fin de leurs jours, se sont trahis
eux-mêmes en engendrant quelque anecdote, parfois
des plus scabreuses. A présent, laissez-moi vous
demander ce que l'on peut attendre de l'homme, être
doué d'aussi étranges qualités ? Comblez-le de tous les
biens terrestres, noyez-le dans le bonheur de telle
sorte que seules des bulles viennent crever à la surface
comme si c'était de l'eau ; accordez-lui une telle abon-
dance économique qu'il n'ait plus rien d'autre à faire
que dormir, manger des gâteaux et pourvoir à la non-
interruption de l'histoire universelle — eh bien, même
là, l'homme, même là, rien que par ingratitude, par
malice, il trouvera le moyen de vous jouer un tour de
cochon. Il ira jusqu'à risquer ses gâteaux et souhaiter
délibérément le plus néfaste non-sens, l'absurdité la
plus anti-économique, rien que pour mêler à tant de
sagesse positive son funeste élément fantastique. C'est
justement ses désirs fantastiques, sa bêtise la plus tri-
viale qu'il voudra conserver à son acquis, à seule fin
de se confirmer à lui-même (comme si c'était tellement indispensable !) que les hommes sont encore des
hommes et non des touches de piano dont daignent
jouer les lois de la nature en personne et de leurs
propres mains, mais en menaçant de faire durer la
musique jusqu'au moment où l'on ne pourra plus rien
vouloir en dehors du calendrier. Et ce n'est pas tout :
à supposer même qu'il soit vraiment une touche de
piano, qu'on le lui prouve par les sciences naturelles et
les mathématiques, là aussi, il refusera d'entendre
raison et se livrera exprès à quelque acte contraire, par
pure ingratitude, rien qu'elle : en somme, pour avoir
le dernier mot. Et s'il est démuni de moyens, il inventera la ruine et le chaos, il inventera mille souffrances.

Mais il aura eu le dernier mot ! Il jettera sa malédiction
sur le monde, et comme la malédiction est le propre de
l'homme (c'est ça le privilège qui le distingue principalement des animaux), ma foi, par sa seule malédiction il
arrivera à ses fins, c'est-à-dire à se convaincre vraiment
qu'il est un homme, et non une touche de piano. Si vous
soutenez que même cela, on peut entièrement le prévoir
en fonction d'une table de calcul — le chaos, l'obscurité, la malédiction — si bien qu'à elle seule la possi-
bilité du calcul préalable arrêtera tout et que la raison
l'emportera, dans ce cas, l'homme deviendra fou,
exprès, pour ne plus avoir sa raison, mais avoir quand
même le dernier mot ! Cela, j'y crois, j'en réponds, car
toute la tâche de l'humanité consiste précisément, à ce
qu'il me semble, en ce que chacun veuille perpétuellement se prouver qu'il est un homme et non une tirette
d'orgue ! à se le prouver, quitte à payer les pots cassés ;
quitte à revenir à l'âge troglodyte. Après cela, comment
ne pas se laisser tenter, ne pas se vanter qu'on n'en est
pas encore là et que le vouloir dépend encore le diable
seul sait de quoi...

Vous me criez (à supposer que vous me fassiez
encore l'honneur de vos cris) que personne ne m'ôte
ma volonté ; qu'on s'ingénie seulement à s'arranger
pour que ma volonté coïncide d'elle-même, de mon
libre arbitre, avec mes intérêts normaux, avec les lois
de la nature, avec l'arithmétique.

— Ah ! messieurs, qu'est-ce que le libre arbitre
aura à voir quand on en arrivera aux tables de calcul
et à l'arithmétique, quand seul aura cours le deux fois
deux quatre. Deux fois deux feront quatre que je le
veuille ou non. Est-ce cela, le libre arbitre ?

IX

Bien entendu, messieurs, je plaisante et je sais moi-
même que mes plaisanteries ne sont pas très fines,

mais tout de même, on n'a pas le droit de tout tourner
en plaisanterie. Peut-être que je plaisante en grinçant
des dents. Messieurs, certaines questions me tour-
mentent, permettez-moi-les : par exemple, vous
voulez débarrasser l'homme de ses vieilles habitudes
et redresser sa volonté conformément aux exigences
de la science et du bon sens. Mais qu'est-ce qui vous
dit que cela est non seulement possible, mais *nécessaire*. Qu'est-ce qui vous permet de conclure que le
vouloir de l'homme a tellement *besoin* d'être redressé ?
En un mot, d'où prenez-vous que ce redressement lui
apportera un avantage réel ? Et, s'il faut tout dire,
d'où vous vient la *certitude* qu'il est toujours avantageux de ne pas contredire les vrais avantages, les
profits normaux garantis par les arguments de la
raison et de l'arithmétique, et que cette loi est valable
pour toute l'humanité ? C'est que, pour le moment, ce
n'est qu'une supposition de votre part. Et si c'était
une loi de la logique, mais nullement une loi humaine.
Vous croyez peut-être, messieurs, que je suis fou ?
Permettez-moi de faire quelques réserves. D'accord,
l'homme est un animal principalement bâtisseur,
condamné à marcher consciemment vers son but, à
exercer l'art de l'ingénieur et à se frayer éternellement
une voie qui va bien *quelque part*. C'est peut-être précisément pour cela qu'il a quelquefois envie de faire
un petit écart qu'il est *condamné* à se frayer cette voie,
et aussi, ma foi, qu'aussi bête l'homme d'action
directe soit-il, en général, il lui vient quand même
quelquefois à l'esprit qu'à l'expérience, sa voie arrive
presque toujours *quelque part* et que l'essentiel n'est
pas de savoir où elle va, mais seulement qu'elle avance
et que l'enfant sage évite de négliger son métier d'ingénieur et de s'adonner à la funeste oisiveté laquelle,
comme on le sait, est la mère de tous les vices.
L'homme se plaît à bâtir et frayer des ais alovoies,
c'est indiscutable. Messieurs, pourquoi se plaît-il aussi
passionnément à provoquer la destruction et le chaos ?
Dites-le-moi un peu ! Au fait, là-dessus je voudrais
faire moi-même une ou deux déclarations parti-

culières. Cet amour de la destruction et du chaos (qui
le prend parfois, c'est indiscutable, c'est comme ça)
ne lui viendrait-il pas de ce qu'il craint instinctivement
d'atteindre son but et de parachever l'édifice qu'il est
en train de bâtir ? Qu'est-ce que vous en savez ? Peut-
être que cet édifice, il ne l'aime que de loin — et de
près, pas du tout ? Qu'il ne trouve de plaisir qu'à le
construire et non à l'habiter, désireux de le mettre
ensuite à la disposition des *animaux domestiques*, tels
que fourmis, moutons, et ainsi de suite, et ainsi de
suite. Justement, les fourmis ont un tout autre goût.
Elles possèdent un étonnant édifice du même genre, à
jamais inaltérable : la fourmilière.

C'est par la fourmilière que les très estimables
fourmis ont commencé, c'est probablement par elle
qu'elles finiront, ce qui fait grandement honneur à
leur constance et à leur esprit positif. Mais l'homme
est un être frivole et disgracieux ; peut-être, pareil au
joueur d'échecs, ne s'intéresse-t-il qu'à la poursuite du
but, et non au but lui-même. Et qui sait (on ne saurait
en jurer) ? peut-être que le seul but vers lequel tend
l'humanité, sur cette terre, réside-t-il dans la permanence de cette poursuite, autrement dit dans la vie
elle-même, et non dans le but proprement dit qui,
bien sûr, ne peut être que deux fois deux quatre, c'est-
à-dire une formule, alors que deux fois deux quatre,
ce n'est déjà plus la vie, messieurs, mais le commen-
cement de la mort. Tout au moins, l'homme a toujours, en quelque sorte, redouté ce deux fois deux
quatre, comme je le redoute aujourd'hui. Admettons
que l'homme ne fasse rien d'autre que le rechercher,
qu'il traverse les océans et sacrifie sa vie dans cette
quête, mais que parvenir à ses fins, trouver vraiment
— ma parole ! il en a, pour ainsi dire, peur. Car il sent
qu'après l'avoir trouvé, il n'aura plus rien à chercher.
Quand les ouvriers ont fini de travailler, eux, au
moins, ils touchent leur paye, ils vont au cabaret,
après quoi ils se retrouvent au violon — et voilà de
l'occupation pour une semaine. Mais l'homme, où
voulez-vous qu'il aille ? Le moins qu'on puisse dire,

c'est que chaque fois qu'il atteint l'un de ces buts, on lui remarque un air de gêne. Il lui plaît d'aller vers une conquête, mais plus tout à fait d'avoir conquis et ça, évidemment, c'est très, très drôle. Bref, l'homme est fait d'une drôle de façon ; et c'est tout cela sans doute qui permet de jouer sur les mots. Mais deux fois deux quatre est quand même tout à fait insupportable. Deux fois deux quatre, à mon avis, c'est quand même du toupet ! Deux fois deux quatre n'est qu'un palto-quet, il se campe en travers de votre route, les poings sur les hanches et en crachant par terre. J'admets que deux fois deux quatre est une excellente chose ; mais tant qu'à tout approuver, deux fois deux cinq est quel-quefois un petit machin pas mal du tout.

Et pourquoi êtes-vous si fermement, si solennelle-ment convaincus que l'homme ne peut trouver avan-tage qu'à ce qui est normal et positif, rien qu'au bien-être, en un mot ? La raison ne se trompe-t-elle pas dans ses calculs ? Voyons, peut-être que l'homme ne tient pas uniquement au bien-être ? Peut-être qu'il tient exactement autant à la souffrance ? Peut-être trouve-t-il autant d'avantages à la souffrance qu'au bien-être. C'est que l'homme est quelquefois terrible-ment attaché à sa souffrance, c'est une véritable pas-sion et un fait indiscutable. Inutile, ici, d'aller cher-cher l'histoire universelle ; demandez-le-vous à vous-même, si seulement vous êtes un homme, et si vous avez tant soit peu vécu. Pour ce qui est de mon avis personnel, il y a même quelque chose d'inconvenant à ne tenir qu'à son bien-être. Que ça soit bien ou mal, il y a des fois où démolir quelque chose, ça vous fait rudement plaisir. Et en somme, ici, je ne prends parti ni pour le bien-être, ni pour la souffrance. Je prends parti... pour mon caprice, pour qu'il me soit garanti quand j'en aurai besoin. Par exemple, la souffrance n'a pas droit de cité dans les vaudevilles, cela je le sais. Dans le palais de cristal, elle est même impensable : la souffrance, c'est le doute, c'est la négation, et qu'est-ce que cela serait, qu'un palais de cristal dont on pourrait douter ? Et pourtant, je suis sûr que l'homme ne renoncera jamais à la véritable souffrance, c'est-à-dire à la destruction et au chaos. La souffrance... mais voyons, c'est l'unique moteur de la conscience[16] ! Bien que j'aie, au début, porté à votre connaissance que la conscience était, à mon avis, le plus grand malheur pour l'homme, je sais cependant qu'il y tient et qu'il ne l'abandonnerait contre aucune satisfaction. Par exemple, la conscience, c'est quelque chose d'infiniment plus élevé que deux fois deux. Après deux fois deux, il est évident qu'il n'y aura plus rien à faire, pire : plus rien à découvrir. La seule ressource sera alors de se boucher les cinq sens et de se plonger dans la contemplation. Tandis qu'en restant conscient, on arrivera au même résultat, bien sûr, c'est-à-dire qu'on n'aura rien à faire, mais au moins on pourra se livrer à de petites séances d'auto-flagellation, et ça, quand même, ça ravigote. Cela a beau être rétrograde, c'est quand même mieux que rien.

X

Vous croyez à un palais de cristal à tout jamais indestructible, c'est-à-dire auquel on ne pourra ni faire la figue dans sa poche ni tirer la langue en cachette. Eh bien moi c'est peut-être pour cela que j'en ai peur qu'il est en cristal, à tout jamais indestructible et qu'on ne pourra même pas lui tirer la langue en cachette.

Voyez-vous, si au lieu d'un palais c'était un poulailler et, s'il se mettait à pleuvoir, je m'enfournerais peut-être dans le poulailler pour ne pas me laisser mouiller, mais sans aller, par gratitude, parce qu'il m'aura abrité de la pluie, le prendre pour un palais. Vous riez, vous dites même que dans ce cas, poulailler ou demeure princière, c'est du pareil au même. Oui, vous répondrai-je, si l'on ne vivait que pour ne pas se laisser mouiller.

Mais que faire si je me suis fourré dans la tête qu'on ne vit pas uniquement pour cela, et que tant qu'à vivre, autant le faire dans une demeure princière ? C'est mon désir, c'est ma volonté. Vous ne m'en décrotterez que lorsque vous aurez transformé mes désirs. Allez ! transformez-les, alléchez-moi avec quelque chose d'autre, donnez-moi un autre idéal. En attendant, moi, je continuerai à ne pas prendre le poulailler pour un palais. Admettons même que le palais de cristal soit du bluff, que les lois de la nature ne nous y donnent pas droit et que je ne l'aie inventé que par bêtise, par suite de certaines habitudes antiques et irrationnelles de ma génération. Qu'est-ce que vous voulez que ça me fasse, que nous n'y ayons pas droit ? Puisqu'il existe dans mes désirs, ou pour mieux dire : puisqu'il existe tant qu'existent mes désirs, n'est-ce pas la même chose ? Vous riez de nouveau, peut-être ? Mais riez donc, je vous en prie ! J'accepte toutes les railleries, ce n'est pas pour cela que je dirai que je suis gavé quand j'ai faim ; je sais quand même que je ne me contenterai pas d'un compromis, d'un éternel retour à zéro pour la seule raison qu'il est conforme aux lois de la nature, et qu'il existe *réellement*. Je ne considérerai pas un immeuble pour locataires pauvres sous bail de mille ans et, à tout hasard, présence d'un Wagenheim, dentiste, avec enseigne à l'appui, comme le couronnement de mes désirs. Anéantissez mes désirs, effacez mes idéaux, montrez-moi quelque chose de mieux, et je vous suivrai. Vous me direz, ma foi, que le jeu n'en vaut pas la chandelle ; mais dans ce cas, moi, je peux vous répondre de même. Nous raisonnons sérieusement ; mais si vous ne voulez pas me faire l'honneur de m'accorder votre attention, je n'irai pas vous faire des courbettes. Moi, j'ai mon souterrain.

Et tant que je vis, tant que je désire, que je perde l'usage de mes mains si j'apporte la plus petite brique à l'édification de votre immeuble pour locataires pauvres ! Oubliez que tout à l'heure, c'est moi-même qui ai répudié le palais de cristal pour la seule raison que je ne pourrais pas lui tirer la langue. Si j'ai dit cela, ce n'est pas que j'y prenne tant plaisir. Peut-être mon coup de sang ne provenait-il que de ce que de tous vos édifices, il n'en est pas un seul auquel on pourrait ne pas la tirer. A l'inverse, je me laisserais, de gratitude, entièrement couper la langue, si seulement les choses s'arrangeaient de telle sorte que je n'aie plus jamais l'occasion de la tirer. Si elles ne s'arrangent pas ainsi et s'il faut se contenter de logements à bon marché, qu'est-ce que vous voulez que ça me fasse ? Pourquoi suis-je agencé avec de tels désirs ? Est-il possible que je sois uniquement agencé pour en arriver à conclure que mon agencement est uniquement fait pour me blouser ? Est-il possible que c'en soit le seul but ? Je ne le crois pas.

D'ailleurs, vous savez, je suis convaincu que nous autres, les hommes du souterrain, il faut nous tenir la bride haute. Bien que nous soyons capables d'y rester quarante ans sans desserrer les dents, quand nous remontons vers la lumière et que ça éclate, nous nous mettons à parler, parler, parler...

XI

La fin des fins, messieurs, est de ne rien faire du tout. Mieux vaut l'inaction consciente. Par conséquent, vive le souterrain ! Bien que j'aie dit que j'enviais l'homme normal jusqu'à ma dernière goutte de bile, si c'est pour vivre dans les conditions où je le vois plongé, je ne voudrais pas me trouver à sa place (ce qui ne m'empêche pas de l'envier). Non, non, mon souterrain est quand même plus avantageux. Là, au moins, on peut... Eh ! mais ici aussi, je mens. Je mens parce que je sais moi-même, aussi clairement que deux fois deux, que le souterrain n'est quand même pas ce qu'il y a de mieux, qu'il y a autre chose, tout à fait autre chose, une chose que j'ai soif de découvrir mais que je n'arrive absolument pas à trouver ! Au diable le souterrain !

Et même ce qui vaudrait mieux, c'est que moi, au moins, je croie à quelque chose de tout ce que je viens d'écrire. Car je vous jure, messieurs, que je ne crois pas à un seul, mais alors là, pas à un traître mot de ce que je viens de gribouiller. C'est-à-dire qu'à tout prendre, j'y crois quand même, mais en même temps, je ne sais pas d'où cela vient, je sens et je suspecte que je mens comme un arracheur de dents.

— Alors, pourquoi avez-vous écrit tout cela ? me dites-vous.

— Je voudrais bien vous voir rester quarante ans à ne rien faire, puis venir vous rendre visite dans votre souterrain et constater à quoi vous en êtes arrivés. A-t-on le droit de laisser pendant quarante ans les gens tout seuls et sans occupation ?

— Et vous n'avez pas honte ! Et vous ne voyez là aucune bassesse ! me direz-vous peut-être en hochant la tête et me regardant de haut. Vous avez soif de vivre, mais vous résolvez les problèmes vitaux en vous empêtrant de fausse logique. Et comme vos algarades sont importunes et insolentes ! Et, en même temps, comme vous avez peur ! Vous débitez des inepties et vous en êtes content ; vous débitez des insolences, mais vous n'arrêtez pas de trembler et de vous en excuser. Vous nous assurez que vous n'avez peur de rien, mais en même temps, vous recherchez nos bonnes grâces. Vous nous assurez que vous grincez des dents, mais en même temps, vous faites de l'esprit pour nous amuser. Vous savez que vos mots ne sont pas drôles, mais vous paraissez fort satisfait de leur mérite littéraire. Il vous est peut-être vraiment arrivé de souffrir, mais vous n'avez aucun respect pour vos propres souffrances. Vous n'êtes pas sans vérité, mais vous manquez totalement de pudeur ; une misérable gloriole vous pousse à porter votre vérité sur la place publique, au marché, au pilori... Vous avez vraiment quelque chose à dire, mais la crainte vous oblige à

taire votre dernier mot parce que vous n'avez pas la
hardiesse de le formuler, rien qu'une insolence de
pleutre. Vous vous vantez d'être conscient, mais vous
ne faites qu'hésiter parce que, bien que votre esprit
travaille, votre cœur est obscurci par la débauche et
qu'avec un cœur impur, adieu la conscience totale et
juste ! Et que d'insistance ! Comme vous nous recherchez ! Que de grimaces ! Mensonges que tout cela !
Mensonges.

Bien entendu, ces paroles que je vous fais dire, c'est
moi qui viens de les inventer. Ça aussi, c'est un produit du souterrain. Je les ai épiées par une petite fente
quarante ans de suite. C'est moi qui les ai inventées,
c'est tout ce que j'ai trouvé à faire. Rien d'étonnant
que j'aie fini par les savoir par cœur et qu'elles aient
pris une tournure littéraire...

Mais enfin, est-il possible que vous soyez assez cré-
dules pour aller imaginer que je vais faire éditer tout
cela, et vous le donner à lire, par-dessus le marché ? Et
puis, il y a un autre problème : pourquoi est-ce que je
vous appelle « messieurs », pourquoi est-ce que je
m'adresse à vous comme à de vrais lecteurs ? Les
aveux que j'entends exposer ne sont pas de ceux que
l'on fait imprimer et lire aux autres. En tout cas, je
n'ai pas l'âme assez ferme pour cela et ne considère
pas qu'il soit nécessaire de la posséder. Mais, voyez-
vous, il m'est venu une fantaisie à l'esprit et je veux à
tout prix la réaliser. Voici de quoi il s'agit :

Il y a, dans les souvenirs de chacun, des choses qu'il
ne dévoile pas à tout le monde, mais uniquement à ses
amis. Il y en a d'autres qu'il ne dévoilerait même pas
à ses amis, rien qu'à lui-même, et encore sous le sceau
du secret. Enfin, il en existe certains qu'il craint de se
dévoiler à lui-même ; ces souvenirs-là, tout homme de
bien en a une réserve rondelette. Et même, plus on est
homme de bien, plus on en a. Moi, en tout cas, il n'y
a pas longtemps que j'ai décidé de rappeler à ma
mémoire quelques-unes de mes anciennes aventures
que j'avais jusqu'à présent passées sous silence, et non
sans inquiétude. A présent que je les évoque et que

j'ai même décidé de les coucher sur le papier, je tente l'épreuve : peut-on être absolument sincère ne serait-ce qu'avec soi-même, et ne pas craindre de faire toute la vérité ? A ce propos, je voudrais vous faire remarquer que, selon Heine, une autobiographie fidèle est presque impossible et que l'on a toutes les chances de raconter des histoires sur soi-même. D'après lui, c'est ce qu'a fait, par exemple, Rousseau dans ses *Confessions*, et même exprès, par vanité. Je suis convaincu que Heine a raison ; je comprends parfaitement qu'on puisse, dans certains cas, par pure vanité, inventer sur son propre compte de véritables crimes, et je conçois même très bien la nature de cette vanité. Mais Heine jugeait de l'homme qui se confesse publiquement. Moi, je n'écris que pour moi-même et déclare une fois pour toutes que même si j'écris comme si je m'adressais à des lecteurs, c'est uniquement pour la montre, parce qu'il m'est plus facile d'écrire ainsi. Ce n'est qu'une forme, une forme creuse, je n'aurai jamais de lecteurs. Cela, je l'ai déjà déclaré.

Je veux rédiger ces notes sans aucune contrainte. Je n'ai l'intention de m'embarrasser ni d'ordre ni de système. Tout ce qui me remontera à la mémoire, je l'écrirai.

Là, par exemple, vous pourriez chercher la petite bête, me dire : « Si vraiment vous ne comptez pas être lu, alors pourquoi êtes-vous en train de passer de telles conventions avec vous-même, et sur le papier, par-dessus le marché, comme de dire que vous ne vous embarrasserez ni d'ordre ni de système, que vous noterez ce qui vous passera par la tête, etc. ? A quoi bon vous expliquer ? A quoi bon vous excuser ? »

Et je vous réponds :

— Eh bien, c'est comme ça !

D'ailleurs, nous sommes là devant toute une psychologie. C'est peut-être que je suis un pleutre. Ou peut-être que je fais exprès de m'imaginer un public pour me tenir plus convenablement lorsque j'écrirai. Des raison, il peut y en avoir mille.

Mais voici encore autre chose : pourquoi, pour quel motif, en somme, est-ce que je veux écrire ? Si ce n'est pas pour un public, voyons ! ne peut-on pas se rappeler tout ça en pensée, sans le transférer sur le papier ?

C'est vrai. Mais sur le papier, ça fait plus solennel. Il y a là quelque chose d'imposant, je me jugerai mieux, mon style y gagnera. De plus, peut-être que le fait d'écrire m'apportera un véritable soulagement. A l'heure actuelle, par exemple, un vieux souvenir m'accable d'un poids particulièrement lourd. Il m'est revenu très nettement, il y a quelques jours, et depuis, il me hante comme un air de musique qui vous tourne dans la tête sans vouloir vous lâcher. Et pourtant, il faut s'en débarrasser. Des souvenirs comme ça, j'en ai des centaines, mais par moments, il y en a un qui me revient et m'accable. Je ne sais pourquoi, je crois que si je le couche sur le papier, il me laissera tranquille. Alors, pourquoi ne pas essayer ?

Et puis, enfin, je m'ennuie, et je passe mon temps à ne rien faire. Écrire, cela ressemble vraiment à du travail. On dit que le travail rend l'homme honnête et bon. Voici au moins une chance à tenter.

Il tombe aujourd'hui une neige molle, jaune, trouble. Hier, c'était pareil, et tous ces jours derniers. Je crois que c'est à cause de cette neige fondue que je me suis rappelé cette histoire qui refuse de me laisser en paix. Alors, le sort en est jeté ! Ce sera un récit « à propos de neige fondue[17] ».

II

A PROPOS DE NEIGE FONDUE

Tout chaud d'aimante conviction,
Quand de l'erreur enténébrée
J'ai sauvé ton âme perdue
Et livrée à d'amers tourments,
Tu as maudit, les mains crispées,
Le vice de ta perdition.
Quand, pour livrer au châtiment
Ton esprit oublieux, tu voulus
Me dire le récit fidèle
De tout ce qui fut avant moi,
Et que ton visage, soudain,
Enfouissant entre tes mains,
En durs sanglots tu éclatas
De telle honte et d'horreur telle...
                                    etc.
                    Extrait d'un poème de N.A. Nékrassov[18].

I

Je n'avais alors que vingt-quatre ans. Déjà à cette époque, ma vie était obscure, déréglée, farouchement solitaire. Je ne fréquentais personne, j'évitais même de parler aux gens et me terrais de plus en plus dans mon coin. A la chancellerie où je travaillais, je m'efforçais même de ne regarder personne et je me rendais parfaitement compte que, non contents de me prendre pour un original, mes collègues me considéraient — je croyais le deviner aussi — avec une sorte de répulsion. Pourquoi personne, sauf moi, ne croit-il jamais qu'on le regarde avec répulsion ? me demandais-je parfois. L'un de mes collègues de bureau avait une figure affreuse, grêlée au-delà du possible, une vraie tête de brigand. Moi, il me semble qu'avec une figure pareille, je n'aurais même pas osé regarder les gens en face. Un autre possédait une tenue tellement crasseuse qu'il en sentait mauvais. Et malgré ça, aucun de ces messieurs ne paraissait moralement gêné, l'un de son habit, l'autre de sa figure. Ni l'un ni l'autre ne s'imaginait qu'on les considérait avec répulsion ; et même dans ce cas, cela leur aurait été égal, à moins que ce ne fussent leurs supérieurs qui daignent jeter les yeux sur eux. Maintenant, il me paraît tout à fait évident que c'est moi-même qui, poussé par une incommensurable vanité, et par conséquent très exigeant envers moi-même, me suis souvent considéré avec un mécontentement et une fureur atteignant parfois à la répulsion, et qu'ainsi, j'en étais arrivé à imputer mon propre regard à tout un chacun. Par exemple, moi, je détestais ma figure, je la trouvais odieuse, je la soupçonnais même d'avoir quelque chose d'ignoble ; aussi, chaque fois que j'arrivais au bureau, faisais-je des efforts terribles pour arborer un maintien des plus indépendants ; je ne voulais pas qu'on puisse me soupçonner d'ignominie, je voulais conférer à ma figure un air aussi distingué que possible. « Tant pis si elle n'est pas belle, me disais-je, mais qu'elle soit distinguée, expressive, et surtout *extraordinairement* intelligente. » Mais je savais à coup sûr — le douloureux martyre ! — que jamais ma figure ne refléterait toutes ces perfections. Le plus horrible de tout, c'est que je la trouvais positivement bête. Pourtant, je me serais parfaitement contenté de l'intelligence. A tel point que j'aurais même accepté son expression d'ignominie pourvu qu'elle se trouvât cependant terriblement intelligente.

Bien entendu, je détestais tous mes collègues de bureau, du premier jusqu'au dernier, je les considérais de haut, mais en même temps, il me semble que je les craignais. Il m'arrivait même de les placer au-dessus de moi. Et alors, ça avait toujours l'air d'arriver sans crier gare : tantôt je les considérais de haut, tantôt je les plaçais au-dessus de moi. Un homme évolué et honnête ne peut pas être vaniteux s'il n'est envers lui-même d'une exigence incommensurable et si, à d'autres moments, il ne pousse le mépris de soi jusqu'à la haine. Mais, que je les place au-dessous ou en dessus de moi, je baissais les yeux devant presque tous ceux que je rencontrais. Je faisais même des expériences : supporterai-je au moins le regard d'Untel ? C'était toujours moi qui baissais les yeux le premier. Cela me faisait mal, cela me rendait fou. J'avais aussi une crainte maladive du ridicule, c'est pourquoi, pour tout ce qui touchait aux apparences extérieures, j'étais l'esclave servile de la *routine* ; je suivais amoureusement les sentiers battus, et tremblais jusqu'au fond du cœur de me découvrir la moindre excentricité. Mais comment aurais-je pu résister ? J'étais maladivement évolué, comme un homme de notre temps se doit de l'être. Eux, ils étaient tous bornés, ils se ressemblaient comme un troupeau de moutons. Peut-être étais-je le seul, de toute la chancellerie, à me considérer à tout coup comme un pleutre et un esclave ; et précisément parce que j'étais évolué. Seulement, je ne faisais pas que me considérer comme un pleutre et un esclave, je l'étais vraiment. Je le dis sans la moindre gêne. De nos jours, tout honnête homme est et doit être un pleutre et un esclave. C'est son état normal. Cela, j'en suis profondément convaincu. C'est ainsi qu'il est fait, qu'il est agencé. Et pas seulement de nos jours, par suite de je ne sais quelles circonstances fortuites : de tous temps, un honnête homme se doit d'être un pleutre et un esclave. C'est la loi naturelle de tous les honnêtes gens de la terre. Même s'il arrive à l'un d'eux de faire le faraud un jour, il n'y a pas de quoi pavoiser : de toute façon, il fichera le camp une autre

fois. Telle est l'unique, la sempiternelle issue. Seuls les
ânes et leurs avortons font les farauds, et encore, jusqu'à un certain mur. Inutile de nous embarrasser
d'eux, en fait d'importance, c'est strictement zéro.

Une autre chose me tourmentait : justement ceci,
que personne ne me ressemblait et que je ne ressemblais à personne. « C'est que moi, je suis seul, mais
eux, ils sont *tous* », me disais-je en me perdant en
conjectures.

On voit à cela que je n'étais encore qu'un gamin.

Parfois, la situation se renversait radicalement.
C'est que, hein ! ce que ça pouvait me dégoûter parfois d'aller au bureau : au point que plusieurs fois, j'en
suis rentré malade. Puis tout d'un coup, sans rime ni
raison, survenait une période de scepticisme et d'indifférence (moi, tout m'arrivait par périodes), et me
voilà en train de me moquer moi-même de mon into-
lérance et de mes airs dégoûtés, et de me reprocher
mon *romantisme*. Tantôt je ne veux même pas leur
adresser la parole, tantôt j'en arrive à un tel point que
non content de leur parler, me voilà en train de
rechercher leur amitié. Tout d'un coup, le temps de le
dire, et pfft ! mon dégoût a disparu. Qui sait ? je n'en
ai peut-être jamais éprouvé, cela n'était qu'un faux-
semblant pêché dans les bouquins ? Jusqu'à présent, je
n'ai pas encore réussi à trancher la question. Une fois
même, on est devenu tout à fait amis, j'allais les voir
chez eux, on jouait à la préférence[19], on buvait de la
vodka, on discutait du tableau d'avancement... Mais
ici, permettez-moi de faire une digression.

Il n'y a jamais eu en Russie de ces romantiques
supra-célestes, à l'allemande, et surtout à la française,
sur lesquels rien n'a de prise, quand bien même la
terre s'ouvrirait sous leurs pas, quand bien même la
France entière périrait sur les barricades ; ils restent
toujours les mêmes, refusent de changer ne serait-ce
qu'au nom de la pudeur, et continuent à chanter leurs
chansons supra-célestes, pour ainsi dire jusqu'à leur
dernier jour, parce que ce sont des imbéciles. Tandis
que chez nous, sur la terre de Russie, des imbéciles, il

n'y en a pas, c'est chose connue ; c'est même là ce qui nous différencie des autres pays. Par conséquent, nous sommes démunis de natures supra-célestes à l'état pur. Ce sont nos publicistes et nos critiques « positifs » d'alors qui, livrant la chasse aux Kostanjoglo[20] et aux vieux Piotr Ivanovitch[21] qu'ils avaient bêtement pris pour notre idéal, ont inventé toutes ces histoires sur nos romantiques, les ont trouvés aussi supra-célestes que ceux d'Allemagne ou de France. Au contraire, les qualités de nos romantiques sont diamétralement opposées aux supra-célestes d'Europe dont l'aune est décidément trop petite pour qu'ils puissent s'en accommoder. (Permettez-moi, n'est-ce pas, d'employer le mot de « romantique », un petit mot ancien, respectable, méritant, et connu de tout le monde.) Nos romantiques ont la particularité de tout comprendre, *de tout voir et souvent de voir incomparablement plus clair que les plus positifs de nos cerveaux ;* de ne transiger avec rien ni personne, mais en même temps, de ne rien dédaigner ; d'éviter tous les écueils, de céder devant tout, de se conduire avec tout le monde en bons politiques ; de ne jamais perdre de vue quelque but utile, pratique (son joli logement de fonction, sa jolie retraite, sa jolie médaille), de veiller à cela à travers tous ses enthousiasmes et ses jolis recueils de jolis vers lyriques, mais en même temps, de conserver intact jusqu'à son dernier souffle, « le beau et le sublime », et par la même occasion se conserver soi-même dans de la ouate comme un colifichet de joaillerie, ne serait-ce, par exemple, que pour le plus grand profit du « beau » et du « sublime ». Le diapason de notre romantique est large, il est le plus filou d'entre tous nos filous, je vous l'assure... et même par expérience. Bien entendu, tout cela, à condition que notre romantique soit intelligent. Mais voyons, qu'est-ce que je dis ! Un romantique, c'est toujours intelligent ! Je voulais simplement vous faire remarquer que bien que nous ayons eu des romantiques idiots, cela ne compte pas, cela n'a pu leur arriver que parce que, dans la fleur de leur talent, ils se sont définitivement métamorphosés en Allemands, et que pour conserver plus commodément leur colifichet de joaillerie, ils se sont installés quelque part là-bas, surtout à Weimar et dans la Forêt Noire. Moi, par exemple, je méprisais du fond du cœur mon travail au bureau, et si je ne crachais pas dessus, c'est uniquement par nécessité, parce que ce bureau, je l'occupais et qu'en échange, je recevais de l'argent. Quand même, résultat — remarquez-le : — je ne crachais pas. Notre romantique deviendrait fou (ce qui, d'ailleurs, n'arrive que très rarement), plutôt que de cracher, s'il n'a pas d'autre carrière en vue ; on ne le jettera pas dehors non plus, à moins qu'on ne l'emmène à l'asile, comme tel « roi d'Espagne[22] », mais seulement s'il est vraiment très fou. Cependant, il n'y a que les maigrichons et les blondinets pour devenir fous, en Russie, n'est-ce pas ? Une quantité incalculable de romantiques atteignent aux plus hauts grades. Quelle extraordinaire variété de registres ! Et quelle aptitude aux sensations les plus contradictoires ! Dans ce temps-là, déjà, cela faisait ma joie. Je m'en tiens toujours à la même idée. C'est pour cela que nous sommes si riches en « natures généreuses » qui, même parvenues au dernier degré de la déchéance, ne perdent jamais leur idéal ; bien sûr, cet idéal, ils ne remueraient pas le petit doigt pour lui, ce sont des bandits et des voleurs avérés, mais cependant, ils continuent à respecter leur idéal d'origine avec des larmes dans les yeux et demeurent, au fond de leur cœur, extraordinairement honnêtes. Eh oui ! il n'y a que chez nous que la plus fieffée canaille conserve un cœur tout à fait, et même très noblement, honnête sans jamais cesser, pour autant, d'être une canaille. Je le répète, on voit perpétuellement sortir des rangs de nos romantiques des fripouilles, parfois tellement efficaces (j'emploie le mot « fripouille » avec amour), qui font preuve d'un tel sens des réalités et de connaissances tellement pratiques, que leurs chefs et le public, stupéfaits, sidérés, ne savent que claquer la langue d'admiration.

Une variété de registres vraiment admirable ! Dieu

sait quelle sera sa prochaine métamorphose, ce qu'elle donnera dans les conjonctures à venir, et de quoi elle augure. C'est que l'étoffe n'est pas mauvaise, hein ? Et si je dis cela, ce n'est pas par patriotisme ridicule, par esprit de clocher. Au fait, vous croyez une fois de plus que je fais de l'ironie, j'en suis certain. Ou qui sait ? c'est peut-être le contraire, c'est-à-dire que vous croyez que je dis vraiment ce que je pense. En tout cas, messieurs, venant de vous, ces deux opinions m'honorent et me font particulièrement plaisir. Quant à ma digression, veuillez l'excuser.

Bien entendu, je ne supportais pas longtemps mes relations amicales avec mes collègues, je ne tardais pas à leur cracher dessus et, par suite d'une inexpérience qui était alors celle de la jeunesse, je ne les saluais même plus, comme si je voulais couper tous les ponts. D'ailleurs, cela ne m'est arrivé qu'une seule fois. En règle générale, j'étais toujours seul.

Chez moi, en premier lieu, le plus souvent, je lisais. Je voulais étouffer, par des sensations extérieures ce qui bouillonnait sans cesse en moi. Or, les seules sensations extérieures qui fussent à ma portée étaient celles de la lecture. Évidemment, elle m'aidait beaucoup, elle m'émouvait, m'apportait délices et tourments. Mais par moments, elle m'embêtait à mourir. J'avais quand même envie de bouger, et vlan ! je sombrais dans la débauche, une sale petite débauche, obscure, souterraine, dégoûtante. Mon irritabilité maladive, continuelle, faisait de mes passions de quatre sous des passions violentes, brûlantes. Elles me venaient par accès hystériques, avec larmes et convulsions. A part la lecture, je n'avais pas où aller, c'est-à-dire qu'il n'y avait rien, dans mon entourage, qui pût m'imposer le respect ou m'attirer. De plus l'ennui me submergeait ; une soif hystérique de contradiction, de contrastes montait en moi, et alors, je me lançais dans la débauche. Et tout ce que je vous dis là, ce n'est pas du tout pour me justifier... Mais non, au fait ! C'est faux ! C'est justement ce que je cherche à faire. C'est pour moi que je fais

cette petite remarque, messieurs. Je ne veux pas
mentir. Je me le suis juré.

Mes débauches se déroulaient dans la solitude, la
nuit, en cachette, peureusement, salement, avec un
sentiment de honte qui ne me lâchait pas dans les
moments les plus abjects où il atteignait même à la
malédiction. Déjà à cette époque, mon âme portait en
elle son souterrain. J'avais affreusement peur d'être
vu, rencontré, reconnu. Les lieux que je fréquentais
étaient divers et extrêmement louches.

Une nuit, je passais devant un mastroquet de bas
étage quand j'aperçus, par la fenêtre éclairée, des messieurs qui se battaient à coups de queues de billard ;
puis je les vis jeter l'un d'eux par la fenêtre. A un autre
moment, cela m'aurait profondément dégoûté ; mais
cette nuit-là, il se trouva que j'enviai le monsieur défe-
nestré, à tel point que j'entrai même dans la taverne,
droit dans la salle de billard : « Avec un peu de veine,
me disais-je, je vais me battre aussi et moi aussi, on
me jettera par la fenêtre. »

Je n'étais pas soûl, mais que voulez-vous que j'y
fasse — l'ennui qui vous ronge vous mène parfois jusqu'à ces états d'hystérie-là. Seulement, il ne s'est rien
passé. J'ai découvert que je n'étais même pas capable
de sauter par la fenêtre, et je suis parti sans m'être
empoigné avec personne.

Dès le premier pas, un officier s'était chargé de me
remettre à ma place.

Je me tenais à côté du billard et, par ignorance, je
barrais le passage. Or, l'officier avait justement besoin
de passer ; il m'a pris aux épaules et, sans un mot
d'avertissement ou d'explication, m'a fait changer de
place, puis il est passé comme s'il n'avait même pas
remarqué ma présence. Les coups, à la rigueur, je les
lui aurais pardonnés, mais la façon dont il m'avait
déplacé et si totalement ignoré, ça, jamais !

Bon Dieu ! ce que j'aurais donné pour une bonne,
une plus juste dispute, une dispute plus convenable,
plus *littéraire*, pour ainsi dire ! On m'avais traité
comme une mouche. L'officier était un colosse ; moi,

je suis petit et chétif. Au fait, la dispute dépendait de moi : il m'aurait suffi de protester pour être, à coup sûr, jeté par la fenêtre. Mais j'ai changé d'avis et... j'ai préféré partir sans demander mon reste et la rage au cœur.

Je sortis de la taverne ému et troublé, je rentrai tout droit chez moi et, le lendemain, je repris ma sale petite débauche d'un air encore plus modeste, encore plus effarouché, encore plus triste qu'avant, presque les larmes aux yeux — mais je la repris quand même. N'allez pas croire, cependant, que j'ai lâché pied devant l'officier par lâcheté : je n'ai jamais été un lâche dans l'âme, bien qu'en fait, en réalité, j'aie toujours lâché pied, mais — attendez avant de rire — cela s'explique ; je trouve toujours une explication à tout, ça, vous pouvez en être sûrs.

Ah ! si cet officier avait été de ceux qui acceptent les duels ! Mais non, c'était justement un de ces messieurs (depuis longtemps disparus, hélas !) qui préfèrent recourir aux queues de billard ou, comme le lieutenant Pirogov de Gogol[23], à la voie hiérarchique. Ils ne se battent pas en duel, et nous autres, les péquins, ils considèrent en tout cas qu'il est tout à fait inconvenant de se mesurer avec nous, et puis en général, que le duel a quelque chose d'impossible, de libre-penseur, de français, sans se priver pour autant d'offenser le monde, surtout lorsqu'ils ont une taille de colosse à mettre dans la balance.

Si j'ai lâché pied, ce n'est pas par lâcheté, mais parce que ma vanité est véritablement sans bornes. Ce n'est pas sa taille de colosse qui m'a fait peur, ni d'être battu ou jeté par la fenêtre ; ce n'est pas le courage physique qui m'aurait manqué ; c'est le courage moral qui m'a fait défaut. J'ai eu peur que toutes les personnes présentes, à commencer par cet effronté de marqueur et à finir par le dernier des gratte-papier ranci et couvert de points noirs qui se tortillait là dans son col graisseux, ne me comprennent pas et me tournent en ridicule en m'entendant protester et user avec eux d'un langage littéraire. Car les points d'honneur, je dis bien les *points d'honneur* et non l'honneur, on ne peut encore, en Russie, en parler, qu'en langage littéraire. En langage de tous les jours, cela ne se fait pas. J'étais absolument persuadé (le sens des réalités, nonobstant mon grand romantisme !) qu'ils crèveraient tous, purement et simplement, de rire et que l'officier me corrigerait, mais là, ni purement ni simplement, et pas inoffensivement du tout : qu'il me ferait obligatoirement faire le tour du billard à coups de genou dans les reins, après quoi, peut-être, il daignerait avoir pitié et me jeter par la fenêtre. Bien entendu, avec moi, cette lamentable histoire ne pouvait s'arrêter là. Par la suite, j'ai souvent rencontré l'officier en question dans la rue et je l'ai parfaitement repéré. La seule chose que j'ignore, c'est si lui, il me reconnaissait. Je ne le crois pas ; cela se voyait à certains indices. Mais moi, moi, je le regardais avec rage, avec haine. Et cela a duré... eh oui ! quelques années ! Ma rage n'a même fait que croître et embellir avec le temps. Au début, je me contentai de me renseigner en douce sur son compte. Cela me fut difficile, car je ne connaissais personne. Mais un jour, dans la rue, alors que je le suivais de loin, mais à croire qu'il me tenait en laisse, quelqu'un le héla et c'est ainsi que j'appris son nom. Une autre fois, je le filai jusqu'à son domicile et, pour dix kopeks, je me fis dire par le concierge où était son appartement, à quel étage, s'il était seul ou avec quelqu'un, etc. — bref, tout ce que l'on peut se faire dire par un concierge. Un matin, bien que je n'aie jamais donné dans les belles-lettres, l'envie me prit de démasquer l'officier, de le caricaturer dans une nouvelle. Cette nouvelle, je l'ai écrite avec délices. Non seulement je l'ai caricaturé, mais je l'ai même légèrement calomnié ; d'abord, j'ai transposé son nom de telle sorte qu'on le dépistait sur-le-champ, mais par la suite, après mûre réflexion, je l'ai changé et envoyé le tout aux *Annales de la Patrie*[24]. Mais dans ce temps-là, démasquer n'était pas à la mode et ma nouvelle ne fut pas publiée. Cela me contraria vivement. Par moments, j'en étouffais presque de rage. Je me résolus finalement à provoquer mon adversaire en duel. Je rédigeai à son intention un superbe, un captivant cartel où je le suppliais de me présenter ses excuses ; en cas de refus, je faisais assez fermement allusion au duel. La lettre était composée de telle sorte que si l'officier ne s'y était entendu qu'un petit peu en « beau » et en « sublime », il n'aurait fait qu'un bond chez moi pour se jeter à mon cou et m'offrir son amitié. Et comme c'eût été beau ! Là, nous nous serions mis à vivre ! Mais alors, vivre ! « Il m'aurait protégé par sa prestance ; je lui aurais prodigué les bienfaits de ma grande culture et... de mes idées, et bien des choses auraient pu arriver ! » Figurez-vous que cela faisait deux ans qu'il m'avait offensé et que mon défi n'était plus qu'un monstrueux anachro-nisme, en dépit de la très grande adresse dont je faisais preuve dans mon cartel pour expliquer et dissimuler ledit anachronisme. Mais, Dieu merci (aujourd'hui encore, j'en remercie le Très-Haut, les larmes aux yeux), cette lettre, je ne l'ai pas envoyée. Quand je pense à ce qui aurait pu se produire si je l'avais fait, j'en ai la chair de poule. Et tout d'un coup... tout d'un coup, je me suis vengé de la façon la plus simple, la plus géniale ! Une idée supérieurement lumineuse est venue me frapper. Il m'arrivait parfois, les jours de fête, entre trois et quatre, d'aller me promener sur le côté ensoleillé de la perspec-tive Nevski. C'est-à-dire que je n'allais pas du tout m'y promener, mais éprouver d'incalculables souffrances, mortifications et déversements de bile ; mais c'est pro-bablement de cela que j'avais besoin. Je me faufilais comme une anguille — ce n'était pas beau à voir — entre les passants, cédant à tout moment le pas à des généraux, à des officiers de la cavalerie de la Garde, à des hussards, ou à de grandes dames ; alors, à la seule pensée de la *misère** de mon accoutrement, de la *misère** et de la vulgarité de ma petite silhouette faufileuse, j'éprou-vais des douleurs spasmodiques au cœur et des sueurs chaudes dans le dos. C'était un épouvantable tourment, une humiliation insupportable et continuelle, le tout provoqué par l'idée, virant à la sensation continuelle et spontanée, que j'étais une mouche aux yeux de tout ce

beau monde, une infecte, une obscène mouche, plus
intelligente, plus cultivée, plus noble que les autres —
ça, ça va de soi — mais une mouche qui cédait continuellement le pas à ces gens qui ne savaient que l'humilier et l'offenser. Pourquoi m'offrais-je à ce tourment,
pourquoi allais-je perspective Nevski, je l'ignore, mais je
m'y sentais tout simplement *attiré* et toutes les occasions
m'étaient bonnes.

Déjà à cette époque, je commençais à ressentir ces
bouffées de délectation dont j'ai déjà parlé au premier
chapitre. Après mon aventure avec l'officier, l'attrac-
tion devint encore plus forte : c'est justement perspective Nevski que je le rencontrais le plus souvent, là
que je le contemplais. Lui aussi, il y allait surtout les
jours de fête. Lui aussi, il cédait le pas aux généraux et
aux dignitaires et se faufilait parmi eux comme une
anguille, n'empêche que les gens de mon acabit, ou
même un peu plus convenables que nous autres, il
leur passait tout simplement sur le corps ; il marchait
droit sur eux comme s'il ne voyait devant lui que le
vide, et ne leur laissait jamais le passage. A le voir
faire, je m'enivrais de ma rage et... m'effaçais rageu-
sement devant lui. A chaque fois. L'idée que même
dans la rue, je ne serais jamais sur un pied d'égalité
avec lui me torturait. « Pourquoi t'effaces-tu le premier ? me faisais-je à moi-même la guerre, m'éveillant
sur le coup de trois heures du matin, en pleine crise de
nerfs. — Pourquoi serait-ce toi et pas lui ? Il n'y a pas
de loi là-dessus, ça n'est écrit nulle part, n'est-ce pas ?
Mettez-y chacun du vôtre comme cela se fait d'ordinaire lorsque des gens délicats se rencontrent : il te
laisse la moitié du passage et toi l'autre, et vous vous
croiserez ainsi, avec des égards réciproques. » Mais ce
n'est pas ainsi que cela se passait : c'était quand même
moi qui m'effaçais et lui, il ne le remarquait même
pas. C'est alors qu'une idée vraiment stupéfiante
s'empara de moi : « Et si, me dis-je, et si je le croisais
et que... que je ne m'effaçais pas ? Que je ne m'effaçais pas exprès, quitte à le bousculer : hein ?
qu'est-ce que ça donnerait ? » Cette audacieuse pensée

finit par s'emparer si complètement de moi qu'elle me fit perdre tout repos. J'avais continuellement, terriblement envie que cela se produise, et je me rendais plus souvent perspective Nevski, exprès, pour mieux me représenter comment je ferais lorsque je le ferais. J'étais fou de joie. Plus j'allais et plus il me semblait que mon dessein tenait debout, était réalisable. « Bien entendu, il ne s'agit pas de le bousculer trop violemment, me disais-je, déjà radouci par la joie, — mais comme ça. Simplement de ne pas lui céder le pas, de lui rentrer dedans, pas trop méchamment, mais épaule contre épaule, exactement autant que l'exigent les convenances ; ce qui fait que comme il me heurtera, je le heurterai. » Enfin, ma décision fut prise, tout à fait prise. Mais les préparatifs me demandèrent beaucoup de temps. En premier lieu, lors de l'accomplissement, je devais être au mieux de ma présentation, donc me préoccuper de mon costume. « A tout hasard, si par exemple cela entraîne un scandale public (et du public, ici, il y en a en *superflu*** : la comtesse s'y promène, le prince D. aussi, et tout le monde des lettres), il faut être bien mis ; cela en imposera et nous placera d'une certaine manière sur un pied d'égalité aux yeux de la haute société. » A cette fin je demandai une avance sur mon traitement et m'achetai des gants noirs et un chapeau convenable chez Tchourkine. Les gants noirs faisaient, à mon avis, plus sérieux et de *meilleur ton*** que les gants citron sur lesquels j'avais, d'abord, jeté mon dévolu. « La couleur est trop criarde, on a un peu trop l'air de vouloir se faire remarquer. » Et je renonçai au citron. J'avais depuis longtemps en réserve une belle chemise avec des boutons de manchette en ivoire ; ce qui me retarda beaucoup, c'est le manteau. Par lui-même, celui que je possédais n'était pas mal du tout, il me tenait chaud ; mais il était ouatiné, avec un col de raton, tout juste bon pour un larbin. Il fallait coûte que coûte changer ce col et m'en payer un en castor, un peu comme les officiers. Je me mis à fréquenter la Galerie des Marchands, et après quelques tentatives, je finis par fixer mon dévolu sur du castor allemand qui ne revenait pas cher. Ce castor allemand, qui s'use très vite et prend

un air misérable, paraît quand même, au début, quand
on vient de l'acheter, tout ce qu'il y a de comme il faut ;
moi, hein, je n'en avais besoin que pour une fois. Je
m'enquis du prix : c'était quand même trop cher. Après
de sérieuses réflexions, je décidai de vendre mon col en
raton. La somme qui me manquait et qui, pour moi,
était considérable, je décidai de l'emprunter à Anton
Antonytch Sétotchkine, mon chef de bureau, un homme
doux, mais sérieux et positif qui ne prêtait d'argent à
personne, mais à qui j'avais autrefois, lorsque j'étais
entré dans l'administration, été particulièrement
recommandé par la personne haut placée qui m'avait
fait nommer. Je souffrais mille tourments. Demander de
l'argent à Anton Antonytch me paraissait monstrueux,
ignominieux. J'en restai même deux ou trois nuits sans
pouvoir fermer l'œil, d'ailleurs, en général, je dormais
fort peu ; la fièvre me tenait, mon cœur défaillait, se
brouillait ou bien bondissait dans ma poitrine, bondissait, bondissait !... Anton Antonytch s'est d'abord étonné,
puis il a fait la grimace, puis il a réfléchi et m'a quand
même prêté l'argent, non sans m'avoir demandé un billet
par lequel je l'autorisais à percevoir dans quinze jours,
sur mon traitement, la somme qu'il m'avait fournie à
titre de prêt. C'est ainsi que je me suis enfin trouvé
paré ; le beau castor avait pris la place de l'immonde
raton, et je me suis tout doucement mis à l'œuvre. Je ne
pouvais tout de même pas me décider du premier coup,
pour rien, hein ? Il fallait mener l'affaire d'une main
experte, justement peu à peu. Mais je dois reconnaître
qu'après de nombreuses tentatives, j'en étais presque
arrivé à désespérer : on ne se rentrait jamais dedans —
un point c'est tout ! J'avais beau me préparer, beau nourrir
mes intentions — encore un peu, et on aurait dit que ça
y était. Eh bien, non ! je lui avais encore cédé et il était
passé sans me remarquer. J'en étais arrivé à réciter mes
prières lorsque nous nous rapprochions, je demandais à
Dieu de m'accorder l'esprit de décision. Une fois, je
m'étais vraiment presque décidé, mais pour terminer, je
me suis simplement jeté dans ses jambes, parce qu'à la
toute dernière minute, à deux *verchok*[25] de lui, tout au

plus, le courage m'a manqué. Il m'est passé sur le corps en toute sérénité et j'ai volé au loin, comme un ballon. Cette nuit-là, la fièvre m'a repris et j'ai déliré. Et puis crac ! tout s'est terminé on ne peut mieux. La nuit précédente, j'avais définitivement décidé de renoncer à mon funeste dessein et de tout abandonner au naufrage ; je m'étais donc rendu une dernière fois Perspective Nevski, à seule fin de voir comment je m'y prendrais pour tout abandonner. Soudain, à trois pas de mon ennemi, contre toute attente, je me suis décidé, j'ai serré les paupières et... nous nous sommes violemment heurtés de l'épaule ! Je ne lui avais pas cédé d'un pouce, je l'avais croisé sur un pied de parfaite égalité ! Il ne s'est même pas étonné, il a fait semblant de n'avoir rien remarqué ; mais ce n'était qu'un faux-semblant, ça, j'en suis sûr. J'en suis encore sûr à ce jour. Naturellement, c'est moi qui ai le plus trinqué ; il était plus fort que moi, mais ce n'était pas cela qui comptait. Ce qui comptait, c'est que j'avais atteint mon but, que ma dignité était sauve, que je ne lui avais pas cédé d'un pas et que je m'étais publiquement placé sur un pied d'égalité sociale avec lui. Je suis rentré chez moi complètement vengé. De tout. Je nageais dans la joie. Je triomphais, je chantais des airs italiens. Bien entendu, je ne vous décrirai pas ce qui m'est arrivé trois jours plus tard ; si vous avez lu mon premier chapitre, « Le souterrain », il vous sera aisé de le deviner. Par la suite, l'officier a été nommé ailleurs ; cela fait bien quatorze ans que je ne le vois plus. Qu'est-ce qu'il fait à présent, mon doux ami ? A qui passe-t-il sur le corps ?

II

Mais quand la période de ma sale petite débauche prenait fin, je me retrouvais abominablement écœuré. J'étais pris de remords, je les chassais : la nausée devenait vraiment trop forte. Mais peu à peu, cela aussi, je m'y habituais. Je m'habituais à tout, c'est-à-dire que ça ne devenait pas une habitude à proprement parler, mais un libre consentement. Et puis, il me restait une issue qui conciliait tout : c'était de me réfugier dans « le beau et le sublime », c'est-à-dire, évidemment, dans mes songeries. C'est formidable, ce que je pouvais songer, des trois mois de rang, terré dans mon coin et — vous pouvez me croire — à ces moments-là, je ne ressemblais plus du tout au monsieur qui, du désarroi plein son cœur de poulet, avait posé du castor allemand au col de son manteau. J'étais subitement devenu un héros. Mon colossal lieutenant, je ne l'aurais pas laissé entrer, même s'il était venu me rendre visite. Je n'arrivais même pas à me le représenter. Ce qu'étaient mes songeries et comment elles pouvaient me suffire, aujourd'hui, j'aurais du mal à le dire, mais dans ce temps-là, elles me suffisaient. Au fait, c'est que maintenant encore, elles me suffisent — en partie. Les songes les plus doux et les plus forts me venaient après quelque sale petite débauche, accompagnés de larmes, de malédictions et d'exaltations. Il y avait des moments d'ivresse si véritable, de tel bonheur, que je perdais pour de bon l'envie de railler, je vous le jure ! Hier, j'avais un espoir, un amour. Et c'est bien cela qui compte : à ces moments-là, je croyais aveuglément que par je ne sais quel miracle, par je ne sais quelles circonstances extérieures, un beau jour, tout cela s'écarterait, s'élargirait ; que soudain m'apparaîtrait l'horizon nouveau d'une activité adéquate, salutaire, superbe et surtout *toute prête* (quelle activité au juste, ça, je ne l'ai jamais su, mais surtout toute prête), et alors, je me montrerais au grand jour, pour un peu sur un cheval blanc et couronné de lauriers. Je ne pouvais me concevoir de rôle secondaire, et c'est bien pour cela que, dans la réalité, j'occupais le plus tranquillement du monde le dernier. Un héros ou de la boue, il n'y avait pas de milieu. Et c'est cela qui m'a perdu que, pataugeant dans la boue, je me consolais en me disant qu'à d'autres moments, j'étais un héros, et que le héros m'a masqué la boue. En somme : un homme ordinaire a honte de se salir, mais le héros est trop au-dessus de tout pour se salir tout à fait, donc je peux toucher à la boue. Chose remarquable, ces accès de « beau » et de « sublime » me prenaient aussi en pleine débauche, et juste au moment où j'avais touché le fond ; ils me prenaient comme ça, par petites bouffées, comme pour me rappeler tout de même leur existence, mais sans que leur apparition mette fin à ma sale petite débauche ; au contraire, ils semblaient la ravigoter par contraste, et ne surgissaient que juste ce qu'il faut pour que la sauce fût bonne. Cette sauce était composée de contradiction et de souffrance, de déchirante introspection, et tous ces tourments, grands ou dérisoires, donnaient un certain piquant et même un sens à ma sale petite débauche, bref assumaient tout à fait le rôle d'une bonne sauce. Tout cela n'était d'ailleurs pas dénué de profondeur. Au fait, aurais-je pu consentir à une banale, une vulgaire, une simplette petite débauche de gratte-papier et endurer sur moi toute cette boue ? Comment expliquer sa séduction, alors, comment expliquer qu'elle m'attirait dehors en pleine nuit ? Eh non, j'avais une noble échappatoire pour tout...

Mais que d'amour, que d'amour j'éprouvais, mon Dieu ! au cours de mes songeries, de mes « échappées dans le beau et le sublime » ; un amour fantastique, je vous l'accorde, un amour ne s'appliquant, en réalité, à rien d'humain, mais tellement riche qu'ensuite, dans la réalité, je n'éprouvais même pas le besoin de cette application : c'eût été un luxe inutile. D'ailleurs, tout se terminait toujours on ne peut mieux, par une transition nonchalante, enivrante, vers l'art, c'est-à-dire vers les plus belles formes de l'existence, parfaitement à point, fortement empruntées aux poètes et aux romanciers et adaptées à mille et un services et exigences. Par exemple : je triomphe. Naturellement, les autres sont pulvérisés et contraints de reconnaître de leur plein gré mes nombreuses qualités, et moi, je leur pardonne, à tous. Poète et gentilhomme de la Chambre, je tombe amoureux ; je touche des tas de millions que je sacrifie sur-le-champ au genre humain,

puis je confesse aussitôt devant le peuple toutes mes
infamies, lesquelles, naturellement, ne sont pas des
infamies ordinaires, mais renferment des quantités
folles de « beau » et de « sublime », dans le style de
Manfred[26]. Tout le monde pleure et m'embrasse
(parce qu'autrement, quels crétins ils feraient), tandis
que moi, la faim au ventre et les pieds nus, je vais
prêcher les idées nouvelles et je bats les rétrogrades à
plate couture à Austerlitz. Là-dessus, on joue une
marche, on décrète l'amnistie, le Pape accepte de
quitter Rome pour le Brésil ; puis il y a bal pour toute
l'Italie à la villa Borghèse située au bord du lac de
Côme, car, en l'honneur de cet événement, ledit lac
est transporté à Rome ; ensuite, la scène se passe dans
les buissons, etc., etc., comme si vous ne le saviez
pas ? Vous me direz qu'il est vulgaire, qu'il est ignoble
de mettre tout cela sur le tapis après tous les enivre-
ments et les larmes dont je viens, moi-même, de faire
l'aveu. Hé-hé ! Où voyez-vous l'ignominie ? Croiriez-
vous, par hasard, que j'ai honte de tout cela, que tout
cela est plus bête que n'importe quel moment de votre
propre vie, messieurs ? De plus, je vous prie de croire
qu'il y avait quelques petites choses que je n'avais pas
mal arrangées du tout... Mais tout ne se passait pas
sur le lac de Côme. Au fait, vous avez raison. C'est
vulgaire et ignoble. Et le plus ignoble de tout, c'est
que je sois en train de me justifier devant vous. Et plus
ignoble encore, que j'en fasse la remarque. Ah ! Et
puis cela suffit, dans le fond, autrement on n'en finira
jamais : les choses seront toujours plus infâmes les
unes que les autres...

Je n'étais jamais en état de rêver plus de trois mois
de suite, après quoi je commençais à éprouver un
besoin insurmontable de me précipiter dans la société.
Me précipiter dans la société, pour moi, cela voulait
dire aller rendre visite à Anton Antonytch Sétotchkine, mon chef de bureau. Ce fut l'unique connaissance que j'entretins toute ma vie, circonstance dont
je m'étonne, aujourd'hui, moi-même. Mais lui aussi,
je ne lui rendais visite que le moment venu, lorsque

mes songeries m'avaient tellement transporté que j'éprouvais le besoin impératif et immédiat de serrer des gens dans mes bras, l'humanité entière ; et pour cela, il fallait être à la tête ne fût-ce que d'un seul homme en chair et en os. Par ailleurs, je devais me présenter chez Anton Antonytch le mardi (son jour), par conséquent toujours ajuster mon besoin de serrer l'humanité entière dans mes bras au mardi. L'Anton Antonytch en question demeurait aux Cinq Coins, quatrième étage, où il occupait quatre pièces basses, plus petites les unes que les autres, d'aspect tout ce qu'il y a d'économique et de jauni. Il avait deux filles et leur tante qui servait le thé. Ses filles — l'une avait treize ans, l'autre quatorze — avaient toutes les deux le nez à la retroussette et m'intimidaient effroyablement, parce qu'elles passaient leur temps à chuchoter entre elles et à ricaner. D'ordinaire, je trouvais le maître de maison assis sur un divan de cuir, devant la table, en compagnie de quelque visiteur chenu, fonctionnaire de notre service ou même d'un autre. Je n'y ai jamais vu plus de deux ou trois personnes à la fois, toujours les mêmes. On parlait impôts indirects, adjudications au Sénat, traitements, promotions, on parlait de Son Excellence, des moyens de plaire, et ainsi de suite, et ainsi de suite. J'avais la patience de rester, comme un crétin, quatre heures de rang auprès de ces gens-là, de les écouter sans oser ni savoir parler de rien avec eux. Je devenais idiot, j'avais des sueurs chaudes, la paralysie me guettait ; mais c'était bien, c'était utile. Une fois rentré, je remettais à un peu plus tard mon désir de serrer l'humanité entière dans mes bras.

Au fait, il me semble que j'avais encore une connaissance : Simonov, mon ancien camarade de classe. Des camarades de classe, ma foi, j'en avais même beaucoup dans Pétersbourg, mais je ne les fréquentais pas et je ne les saluais même plus dans la rue. Je crois même que j'avais changé de service rien que pour éviter de me retrouver avec eux et en finir une fois pour toutes avec ma détestable enfance. Maudites soient cette école, ces horribles années de bagne ! En un mot, dès que je m'étais trouvé libre de mes actes, je m'étais séparé de mes camarades. Il en restait encore deux ou trois que je saluais, lorsqu'il m'arrivait de les croiser. Et parmi eux, Simonov, un garçon qui, en classe, ne se distinguait en rien, était d'un naturel égal et paisible, mais chez qui j'avais discerné un certain esprit d'indépendance, voire de l'honnêteté. Je crois même qu'il n'était pas trop borné. Nous avions autrefois connu ensemble des heures assez claires, mais elles n'avaient pas duré longtemps et s'étaient enveloppées d'une sorte de brouillard. Je crois que ces souvenirs lui pesaient et qu'il craignait sans cesse de me voir retomber dans notre ton d'autrefois. Je le soupçonnais d'éprouver une forte répulsion à mon égard, mais je n'en étais probablement pas très convaincu ; je continuais à lui rendre visite.

C'est ainsi qu'un jeudi, ne pouvant plus supporter ma solitude et sachant que, les jeudis, la porte d'Anton Antonytch était fermée, je me rappelai Simonov. En montant à son quatrième, je me disais justement que ce monsieur trouvait ma présence pénible et que j'avais bien tort d'aller le voir. Mais comme cela se terminait toujours de la même façon, à savoir que ce genre de considérations ne faisaient, comme un fait exprès, que m'encourager à me fourrer dans des situations équivoques, je me présentai tout de même chez lui. Cela faisait presque un an que je l'avais vu.

III

J'y retrouvai deux autres condisciples. Ils semblaient être en train de discuter d'une affaire importante et ne prêtèrent pour ainsi dire aucune attention à mon arrivée, ce qui était même curieux, car nous ne nous étions pas vus depuis des années. Il faut croire qu'ils me prenaient pour quelque chose comme une vulgaire mouche. Jamais, on ne m'avait traité avec tant de mépris, même à l'école, où tout le monde me détestait, pourtant. Naturellement, je comprenais que s'ils me méprisaient à présent, c'était à cause de l'insuccès de ma carrière administrative et parce que j'avais beaucoup déchu, j'étais mal vêtu et ainsi de suite — ce qui constituait à leurs yeux l'enseigne de mon incapacité et de mon insignifiance. Mais je ne m'attendais quand même pas à un pareil mépris. Simonov s'étonna même de mon arrivée. Avant aussi, il semblait toujours s'en étonner. Cela m'intrigua : je m'assis, non sans anxiété, et prêtait l'oreille à leurs propos.

Ils parlaient sérieusement et non sans ardeur du dîner d'adieu qu'ils voulaient offrir à frais communs, le lendemain même, à notre camarade Zverkov, un officier qui partait pour une province lointaine. *Monsieur** Zverkov avait toujours été mon camarade, à moi aussi. Je lui avais voué une animosité particulière à partir des grandes classes. Dans les petites classes, ça n'avait jamais été qu'un charmant et pétulant petit garçon qui se faisait aimer de tout le monde. D'ailleurs, déjà dans les petites classes, je le détestais, et justement parce que c'était un petit garçon charmant et pétulant. Il avait toujours et constamment été un mauvais élève et cela n'avait fait qu'empirer ; néanmoins, il avait achevé ses études avec succès, parce qu'il était protégé. Il était en dernière année lorsqu'il avait hérité de deux cents âmes[27] et comme nous étions presque tous pauvres, il était allé jusqu'à crâner devant nous. Il était d'une vulgarité crasse, mais bon garçon, même lorsqu'il crânait. Et nous, malgré les airs fantastiques et redondants d'honneur et de morgue que nous nous donnions, plus Zverkov crânait, plus — à de rares exceptions près — nous papillonnions autour de lui. Et pas parce que nous avions quelque chose à y gagner, mais parce que dame Nature lui avait fait la faveur de ses dons. De plus, nous avions en quelque sorte adopté l'usage de

le considérer comme un spécialiste du savoir-faire et
des bonnes manières. Ce dernier point me rendait
particulièrement furieux. Je ne pouvais pas souffrir le
son tranchant et plein d'assurance de sa voix, la satisfaction où le laissaient ses propres bons mots, d'ailleurs affreusement bêtes ; et pourtant, il n'avait pas
sa langue dans sa poche ; je ne pouvais pas voir sa
figure, jolie mais bêtasse (que j'aurais d'ailleurs
échangée avec plaisir contre la mienne, si *intelligente*)
et sa désinvolture d'officier de 1840. Je détestais l'entendre parler de ses futurs succès auprès des dames
(qu'il n'avait pas encore osé entreprendre parce qu'il
n'avait pas reçu les épaulettes d'officier qu'il attendait
avec impatience) et des innombrables duels qu'il
comptait provoquer. Je me rappelle qu'un jour, moi
qui ne disais jamais rien, je m'accrochai soudain avec
lui parce que, mettant à profit un moment de loisir
pour bavarder avec ses camarades, il leur avait dit
qu'il irait bientôt cueillir la fraise, puis s'était mis à
folâtrer au soleil comme un jeune chien, il avait
déclaré tout à trac qu'aucune des filles de son village
n'échapperait à son attention, que c'était le *droit du
seigneur**, et que les moujiks qui oseraient protester,
il les ferait tous fouetter, cette canaille barbue, et
doublerait leurs redevances. Mes goujats de condisciples avaient applaudi, moi seul, je m'en étais pris
à lui, mais pas du tout par pitié pour les jeunes
vierges et leurs pères : simplement parce que ce moucheron recueillait tant d'applaudissements. C'est moi
qui lui fis mordre la poussière, mais Zverkov, malgré
sa bêtise, était insolent et gai ; c'est pourquoi il
tourna la chose en plaisanterie et même de telle
façon que, pour être franc, la poussière, il ne la
mordit pas tout à fait : les rieurs restèrent de son
côté. Par la suite, il me refit mordre la poussière,
mais sans hargne, mais comme ça, en passant, par
une plaisanterie ou par le rire. Plein de rage et de
mépris, je ne daignai pas lui répondre. A la sortie de
l'école, il tenta de faire un pas vers moi ; je ne me
rebiffai guère car cela me flattait ; mais bientôt et

tout naturellement, nous nous perdîmes de vue. Plus tard, j'entendis parler de ses succès de caserne, de ses *frasques* de lieutenant. Puis d'autres bruits circulèrent, ceux de ses *succès* de service. Quand nous nous croisions dans la rue, il ne me saluait plus et je le soupçonnais de craindre de se compromettre en inclinant la tête devant une personnalité aussi insignifiante que la mienne. Une fois aussi, je l'ai aperçu au théâtre, au deuxième balcon ; il portait déjà les aiguillettes. Il papillonnait et multipliait les courbettes devant les filles d'un très vieux général. En trois ans, il avait beaucoup baissé, bien qu'il fût, comme autrefois, assez beau et leste ; mais il était un peu bouffi, il commençait à engraisser ; on voyait qu'à la trentaine, il serait complètement avachi. Et c'est pour ce Zverkov qui s'en allait enfin, que nos camarades voulaient donner un dîner. Pendant ces trois années, ils n'avaient pas arrêté de le fréquenter bien qu'au fond d'eux-mêmes, ils n'osassent pas se mettre sur un pied d'égalité avec lui, ça, j'en suis sûr.

Des deux invités de Simonov, l'un était Ferfitchkine, un Russe d'origine allemande, la taille petite, une figure de singe, un crétin qui tournait tout le monde en ridicule, l'un de mes pires ennemis dès les petites classes, un fanfaron au petit pied, ignoble, effronté, qui se montrait fort chatouilleux sur les questions d'amour-propre bien qu'il fût, évidemment, un pleutre dans l'âme. Il comptait parmi les admirateurs de Zverkov qui lui faisaient les yeux doux par calcul et le tapaient tant et plus. Troudolioubov l'autre invité de Simonov était une personnalité assez terne, un militaire de haute taille, à la physionomie impassible, plutôt honnête, mais s'inclinant devant toutes les réussites et incapable de raisonner sur autre chose que l'avancement. C'était un parent éloigné de Zverkov ce qui — la chose est bête à dire — lui conférait un certain prestige à nos yeux. Il m'avait toujours considéré comme un rien du tout ; il n'était pas très poli avec moi, mais de façon quand même supportable.

— Eh bien, à sept roubles par tête, dit Troudolioubov, nous sommes trois, cela fait vingt et un roup[28], de quoi se payer un bon dîner. Il va de soi que Zverkov ne déboursera rien.

— Bien entendu, puisqu'il est notre invité, trancha Simonov.

— Croyez-vous vraiment, s'interposa Ferfitchkine avec l'arrogance fougueuse d'un impertinent laquais qui se vante des grand-croix de son général de maître, croyez-vous vraiment que Zverkov nous laissera payer seuls ? Il acceptera l'invitation par délicatesse, mais en revanche, il nous offrira la *demi-douzaine*[29].

— Qu'est-ce qu'on ferait d'une demi-douzaine à quatre, remarqua Troudolioubov dont l'attention n'avait été attirée que par ce chiffre.

— Bon, alors nous sommes trois, quatre avec Zverkov, vingt et un roubles demain, à cinq heures à l'*Hôtel de Paris**, conclut définitivement Simonov que l'on avait élu maître de cérémonies.

— Comment cela, vingt et un ? intervins-je non sans une certaine émotion, et même, il faut croire, vexé. En me comptant, cela fait vingt-huit roubles et pas vingt et un.

Il m'avait semblé que m'avancer ainsi à l'improviste ferait très bien, qu'ils seraient tous subjugués et me considéreraient avec respect.

— Comment, vous aussi, vous voulez en être ? remarqua Simonov avec déplaisir en évitant de me regarder. Il me connaissait par cœur.

Qu'il me connaisse par cœur, me rendit furieux.

— Et pourquoi pas, s'il-vous-plaît ? Il me semble que moi aussi, je suis de ses camarades et je dois reconnaître que je trouve assez vexant d'avoir été tenu à l'écart, bouillonnai-je de nouveau.

— Et où vous aurions-nous trouvé ? intervint grossièrement Ferfitchkine.

— Vous avez toujours été en mauvais termes avec Zverkov, ajouta Troudolioubov d'un air maussade.

Mais maintenant que je m'étais cramponné, je n'avais pas l'intention de lâcher.

— Il me semble que personne n'est en droit d'en

juger, rétorquai-je avec un frémissement dans la voix, comme s'il venait d'arriver Dieu sait quoi. C'est peut-être justement à cause de cette vieille mésentente que je veux y aller.

— Bah ! Allez-vous comprendre !... Tant d'éléva-tion... ironisa Troudolioubov.

— On vous inscrira, décida Simonov en se tournant vers moi : demain à cinq heures à l'*Hôtel de Paris** ; ne vous trompez pas.

— Et l'argent... allait commencer Ferfitchkine à mi-voix, en me désignant à Simonov d'un hochement de tête, mais il resta court parce que Simonov lui-même avait pris un air gêné.

— Cela suffit, dit Troudolioubov en se levant. S'il a tellement envie de venir, qu'il vienne !

— Mais c'est notre groupe à nous, un groupe d'amis, ragea Ferfitchkine, en prenant son chapeau. Ce n'est pas une réunion officielle. Qui vous dit que nous voulons de vous ?...

Ils s'en allèrent ; en sortant, Ferfitchkine ne me salua même pas, Troudolioubov inclina à peine la tête sans me regarder. Simonov, avec qui j'étais resté seul à seul semblait surpris et contrarié, il me regardait d'un air bizarre. Il ne s'asseyait pas, ne me conviait pas à le faire.

— Hum... oui... alors, c'est pour demain. Est-ce que vous me remettez l'argent tout de suite ? C'est pour être fixé, bafouilla-t-il d'un air gêné.

J'ai violemment rougi, mais en même temps, je me suis souvenu que je lui devais déjà, depuis des temps immémoriaux, quinze roubles que, d'ailleurs, je n'ou-bliais jamais, mais ne lui rendais jamais non plus.

— Reconnaissez vous-même qu'en entrant ici, je ne pouvais pas savoir... Je regrette vivement d'avoir oublié...

— C'est bon, c'est bon, cela n'a pas d'importance. Vous payerez demain au moment du dîner. C'était seulement pour être fixé... Je vous en prie...

Il s'est arrêté au milieu de sa phrase et s'est mis à faire les cent pas d'un air encore plus contrarié. Il

déambulait en marchant sur les talons et en y mettant
à chaque pas plus de force.

— Je ne vous retiens pas ? ai-je demandé après
deux minutes de silence.

— Pas du tout ! — Il a paru se réveiller brusquement. — C'est-à-dire qu'à parler franc... si. Voyez-
vous, il faudrait encore que je passe... pas loin d'ici...
a-t-il ajouté non sans quelque gêne, d'une voix pleine
d'excuses.

— Mon Dieu ! mais pourquoi ne le dites-vous pas ?
— me suis-je écrié en prenant ma casquette d'un air
étrangement désinvolte, d'ailleurs, et je me demande
bien où je l'avais pris.

— Ce n'est pas loin... à deux pas... a repris
Simonov en me raccompagnant jusqu'à l'entrée d'un
air affairé qui ne lui allait pas du tout. Alors, à
demain, à cinq heures juste ! m'a-t-il crié du palier : il
était vraiment très content de me voir partir.

Quant à moi, j'étais furieux.

« Mais qu'est-ce qui m'a pris de me mettre en
avant ! songeais-je en marchant à grands pas et en
grinçant des dents. Et pour un saligaud pareil, un
goret, un Zverkov ! Bien entendu, je n'irai pas, bien
entendu, je crache dessus ; qu'est-ce qui m'oblige ?
Dès demain, j'en informerai Simonov par le service
des postes... »

Mais si j'étais si furieux, c'est justement parce que
je savais que j'irais, que j'irais exprès ; et plus cela
manquerait de tact, plus ce serait inconvenant, plus je
m'y précipiterais.

J'avais même un obstacle tout trouvé pour ne pas y
aller : je n'avais pas d'argent. Je possédais neuf roubles
en tout et pour tout, sur lesquels, dès demain, je
devais payer son mois à Apollon, mon domestique,
qui touchait sept roubles logé et non nourri.

Avec son caractère, il n'était pas question de ne pas
le payer. Mais cette canaille, ce fléau du ciel, je vous
en parlerai un autre jour.

D'ailleurs, je savais bien que je ne le payerais quand
même pas, et que j'irais sans faute.

Cette nuit-là, j'ai fait des rêves monstrueux. Ça n'avait rien de surprenant : toute la soirée les souvenirs de ce bagne qu'avait été pour moi l'école m'avaient accablé sans que je pusse m'en débarrasser. J'avais été fourré dans cette école par des parents éloignés dont je dépendais et dont, depuis, je n'avais plus eu la moindre idée : ils m'avaient fourré là, orphelin, déjà abruti de leurs reproches, déjà pensif, silencieux, et jetant sur tout des regards sauvages. Mes camarades m'avaient accueilli par des plaisanteries méchantes et sans pitié parce que je ne ressemblais à aucun d'eux. Mais moi, je ne supportais pas les plaisanteries ; je ne pouvais pas m'accommoder d'eux au vil prix auquel il s'accommodaient les uns des autres. Je les ai immédiatement pris en grippe et me suis isolé d'eux tous dans un orgueil ombrageux, blessé et démesuré. Leur grossièreté m'indignait. Ils se moquaient cyniquement de ma figure, de ma silhouette empotée ; et pourtant, ce que leur propre figure pouvait être bête ! Dans notre école, l'expression du visage s'abêtissait et dégénérait d'une façon particulière. Que de beaux enfants y sont entrés ! Au bout de quelques années, vous ne pouviez plus les regarder sans dégoût. Je n'avais que seize ans, et déjà je les considérais avec un étonnement morose ; déjà la mesquinerie de leur pensée, la bêtise de leurs occupations, de leurs jeux, de leurs conversations, me stupéfiaient. Il y avait des choses tellement indispensables qu'ils ne comprenaient pas, des sujets tellement imposants, frappants, auxquels ils ne s'intéressaient pas, que malgré moi je les ai considérés comme des inférieurs. Ce n'était pas ma vanité blessée qui m'y incitait, et au nom du ciel, ne venez pas me fourrer sous le nez vos objections tellement éculées qu'elles me donnent envie de vomir : « Je n'étais qu'un rêveur, eux, ils comprenaient déjà la vraie vie. » Ils ne comprenaient rien du tout, pas plus la vraie vie qu'autre chose, et je vous jure que c'est bien ça qui m'indignait le plus en eux. Au contraire, la réalité la plus évidente, une vérité qui vous crevait les yeux, ils l'accueillaient avec une bêtise fantastique et avaient, dès cette époque, pris l'habitude de ne s'incliner que devant la réussite. Tout ce qui était juste, mais ravalé et terrorisé, ils s'en moquaient durement, honteusement. Pour eux, l'intelligence, c'était l'échelon hiérarchique ; à seize ans, ils discutaient déjà de sinécures. Bien sûr cela provenait en grande partie de la bêtise et des mauvais exemples qui avaient continuellement entouré leur enfance, puis leur adolescence. Ils étaient hideusement dépravés. Bien entendu c'était surtout pour parader, par feint cynisme ; bien entendu, la jeunesse et une certaine fraîcheur transparaissaient en eux jusque derrière leur dépravation ; mais leur fraîcheur même n'avait rien d'attrayant, elle ne se révélait qu'à travers une sorte de polissonnerie. Je ne pouvais pas les voir, c'en était fou, et pourtant, je crois que j'étais encore pire qu'eux. Ils me rendaient la monnaie de ma pièce et ne me dissimulaient pas leur dégoût. Mais je ne voulais plus de leur amitié ; au contraire je n'avais soif que de les voir ravalés. Pour me débarrasser de leurs quolibets, j'ai fait exprès d'étudier de mon mieux et je me suis classé parmi les tout premiers. Ça leur en a imposé. De plus, ils commençaient tous à comprendre que j'avais déjà lu des livres au-dessus de leur portée et que je comprenais des choses (elles n'étaient pas au programme spécial des études que nous suivions) dont ils n'avaient même pas entendu parler. Ils considéraient cela d'un œil ahuri et railleur, mais moralement, ils baissaient pavillon, d'autant plus que j'avais attiré l'attention des professeurs eux-mêmes. Les railleries ont pris fin, mais l'antipathie est restée et les rapports qui se sont établis entre nous étaient froids et tendus. A la fin, j'ai craqué moi-même : avec les années, le besoin de voir des gens, d'avoir des amis, s'était développé. Alors, j'ai tenté de me rapprocher de certains de mes camarades ; mais, à chaque fois, ce rapprochement paraissait artificiel et cessait de lui-même. Une fois, j'ai même eu un ami. Mais j'étais déjà un despote dans l'âme ; je voulais régner sur la sienne en maître absolu ; je voulais lui insuffler le mépris de son entourage, avec

lequel j'ai exigé de lui une rupture hautaine et définitive. Mon amitié passionnée lui a fait peur : je le
poussais jusqu'aux larmes, aux convulsions ; c'était
une âme naïve et confiante ; mais lorsqu'il s'est
complètement abandonné à moi, je me suis mis à le
haïr et je l'ai repoussé, à croire que je n'avais eu
besoin de lui que pour le vaincre et le voir se soumettre. Cependant, la victoire, je ne pouvais pas la
remporter sur tout le monde. Mon ami, lui aussi, ne
ressemblait à aucun des autres et constituait une
exception des plus rares. Dès que je suis sorti de
l'école, mon premier souci a été d'abandonner la carrière particulière à laquelle j'étais destiné afin de
couper toute attache, de jeter la malédiction sur mon
passé et de le réduire en poudre... Après cela, je vous
demande ce que, du diable ! j'allais fiche chez Simonov !...

Le lendemain matin, de bonne heure, je me suis
réveillé en sursaut, j'ai sauté à bas de mon lit, aussi
énervé que si tout allait se passer tout de suite. Mais
j'étais convaincu qu'il était en train d'arriver, qu'il
arriverait certainement aujourd'hui, un revirement
dans ma vie. Sans doute est-ce le manque d'habitude,
mais toute ma vie, à chaque événement extérieur,
aussi infime soit-il, il m'a semblé que voilà ! ce revirement radical devenait imminent. Par ailleurs, je me
suis rendu à mon bureau comme d'habitude, mais j'ai
filé à la maison deux heures trop tôt, afin de m'ap-
prêter. « Avant tout, me suis-je dit, il ne faut pas
arriver le premier, autrement les autres croiront que je
suis vraiment trop content. » Mais des choses essen-
tielles comme celle-là, il y en avait des milliers et elles
m'épuisaient toutes d'énervement. J'ai reciré mes
bottes de mes propres mains ; pour rien au monde
Apollon n'aurait accepté de les cirer deux fois dans la
même journée, il considère que c'est du désordre. J'ai
commencé par chiper les brosses dans l'entrée pour
qu'il ne s'en aperçoive pas, parce qu'après, il m'aurait
méprisé. Ensuite, j'ai examiné mes vêtements en détail
et je les ai tous trouvés vieux, élimés, crasseux. Je me

néglige vraiment trop. Mon habit d'uniforme pouvait
aller, après tout, mais on ne va pas dîner en habit. Et
surtout, le pantalon avait au genou une énorme tache
jaune. Je pressentais qu'à elle seule, cette tache me
retirerait les neuf dixièmes de ma dignité. Je savais
aussi que cette pensée était d'une extrême bassesse.
« Mais ce n'est pas le moment de penser, c'est le
moment de regarder la réalité en face », me disais-je
en perdant courage. Je savais déjà très bien que j'exagérais monstrueusement ; mais que faire ? Je ne pouvais plus me maîtriser et je grelottais de fièvre. Je me
représentais avec désespoir de quel regard froid et
hautain m'accueillerait ce « saligaud » de Zverkov ;
avec quel dédain borné et absolument inéluctable me
considérerait cette borne de Troudolioubov ; quels
ricanements arrogants et odieux me réserverait ce
moucheron de Ferfitchkine, pressé de complaire à
Zverkov ; et que Simonov comprendrait parfaitement
tout cela sans rien dire et me mépriserait de tant de
basse vanité et de tant de lâcheté ; et principalement
que tout cela serait misérable, non *littéraire*, banal !
Bien sûr, mieux valait ne pas y aller du tout. Mais rien
n'était moins possible, parce qu'une fois qu'une chose
m'a attiré, je m'y enlise tout entier. Sinon, toute la vie,
je me serais fait bisquer : « Alors ? Tu as eu la frousse,
la frousse devant la *réalité !* » Au contraire, je voulais
prouver à tout ce « fretin » que je n'étais pas le frous-
sard que je suis le premier à voir en moi-même. Pis
que cela : au plus fort paroxysme de ma fièvre de
frousse, je rêvais de prendre le dessus, de remporter la
victoire, de les envoûter, de les obliger à m'aimer, ne
serait-ce que « pour mon élévation de pensée et mon
indubitable sens de l'humour ». Ils lâcheraient
Zverkov qui resterait tout seul dans son coin, muet et
honteux, tandis que moi, je le réduirais en bouillie.
Après, ma foi, je me réconcilierais avec lui, je me met-
trais à le tutoyer et nous arroserions ça ; le pire et le
plus vexant était que je savais alors, que je savais parfaitement et à coup sûr que je n'avais besoin de rien de
tout cela en fait, qu'en fait je n'avais aucune envie de les

écraser, de les soumettre, de les envoûter et que tout ce résultat, à supposer que je l'obtienne, je n'en aurais, moi le premier, pas donné un sou. Ah ! Comme je priais Dieu que cette journée fût enfin terminée ! En proie à une angoisse inexprimable, j'approchais de la fenêtre, j'ouvrais le vasistas et je scrutais l'opaque voile de neige fondue qui tombait à gros flocons.

Enfin, ma vilaine pendule chuinta cinq coups. Je pris mon bonnet et, évitant de regarder Apollon qui attendait depuis le matin que je lui verse ses gages mais se refusait, par fierté, à en parler le premier, je me glissai dehors et arrivai à l'*Hôtel de Paris** en véritable barine, dans un traîneau de luxe que j'avais payé de mes derniers cinquante kopeks.

IV

Je savais dès la veille que j'arriverais le premier. Mais ce n'était plus de cela qu'il était question.

Non seulement il n'y avait personne, mais j'eus même toutes les peines du monde à trouver notre cabinet. On n'avait pas fini de mettre le couvert. Qu'est-ce que cela pouvait bien vouloir dire ? Après beaucoup de questions, je finis par faire avouer aux garçons que le dîner était commandé pour six heures et non cinq. On me le confirma au buffet. Déjà j'avais honte de me livrer à cette enquête. Il n'était encore que cinq heures vingt-cinq. S'ils avaient changé d'heure, en tout cas, ils auraient dû m'avertir, tout de même ! --- le service des postes est fait pour ça — et ne pas m'infliger un pareil affront à mes propres yeux et... et ne serait-ce que devant les domestiques. Je m'assis ; un garçon finissait de mettre le couvert ; devant lui, je me sentais encore plus vexé. Pour six heures, en plus des lampes déjà allumées dans la pièce, on apporta des chandelles. Quand même, le serveur n'avait pas pensé à les apporter dès mon arri-

ver ! Dans le cabinet voisin, deux hommes dînaient à
des tables différentes, l'air sombre, coléreux et taci-
turne. Dans un cabinet plus éloigné on menait grand
tapage ; on s'égosillait même ; on entendait rire une
bande de gens ; des voies suraiguës glapissaient de
vilaines exclamations à la française : c'était un dîner
avec dames. Bref, c'était très écœurant. J'avais rarement passé d'aussi odieux instants, si bien qu'en les
voyant arriver tous les quatre ensemble, à six heures
tapantes, au premier moment je m'en réjouis comme
s'ils étaient des libérateurs et je faillis oublier que je
devais prendre un air vexé.

Zverkov entra le premier, il semblait avoir pris le
commandement. Il riait, et les autres avec lui ; mais en
m'apercevant, il se redressa, s'approcha sans hâte, en
jouant un peu du buste, comme par coquetterie, et me
tendit la main avec gentillesse mais pas trop, avec une
politesse prudente, pour un peu une politesse de
général, comme si tout en me tendant la main, il voulait se préserver de quelque chose. Moi, je m'étais
imaginé au contraire que j'entendrais fuser son petit
rire d'autrefois, son rire grêle coupé de glapissements,
et que dès les premiers mots il débiterait ses plates
saillies et plaisanteries. C'est à cela que je m'étais pré-
paré dès la veille ; en aucun cas je ne me serais
attendu à cet air altier, à cette gentillesse d'Excellence.
Ainsi donc, il se croyait incommensurablement supérieur sous tous les rapports ? S'il avait seulement eu
l'intention de me vexer avec ses airs de général, cela
n'aurait pas été trop grave, me dis-je ; j'aurais bien
réussi à recracher ça. Et si la misérable idée qu'ils
m'était incommensurablement supérieur et qu'il ne
pouvait plus me considérer autrement qu'avec des airs
protecteurs était, pour de bon et sans aucun désir de
me blesser, allée se fourrer dans sa cervelle de mouton ? Cette supposition, à elle seule, me coupa le
souffle.

— J'ai appris avec étonnement votre désir d'être
des nôtres, a-t-il commencé en zozotant, chuintant et
étirant les mots, ce qui ne lui arrivait pas naguère. Je

ne sais pas comment il s'est fait que nous ne nous voyions plus. Vous nous fuyez. Dommage. Nous ne sommes pas aussi terribles qu'il vous semble. Allons ! en tous cas, je suis ravi de re-nou-er...

Et il se détourna négligemment pour poser son chapeau sur l'appui de la fenêtre.

— Il y a longtemps que vous nous attendez ? demanda Troudolioubov.

— Je suis arrivé à cinq heures juste, comme on me l'a dit hier, répondis-je d'une voix forte avec une irritation qui promettait une explosion prochaine.

— Comment, tu ne lui as pas fait savoir qu'on avait changé d'heure ? demanda Troudolioubov à Simonov.

— Non, j'ai oublié, répondit l'autre, sans le moindre regret.

Et négligeant de s'excuser auprès de moi, il alla commander les hors-d'œuvre.

— Alors, ça fait déjà une heure que vous êtes ici, pauvre garçon ? s'exclama Zverkov d'un air moqueur, parce qu'avec sa mentalité, il devait trouver la chose vraiment très drôle.

Aussitôt, l'ignoble Ferfitchkine se mit à japer de petits rires ignobles, d'une voix aiguë et sonore comme celle d'un roquet. Ma situation lui paraissait vraiment trop embarrassante, trop ridicule.

— Ce n'est pas drôle du tout, lui criai-je avec une exaspération croissante, ce n'est pas ma faute à moi, c'est celle des autres. On n'a pas daigné m'informer. C'est — c'est — c'est... tout simplement absurde.

— Absurde n'est pas le mot, c'est pire, grommela Troudolioubov en prenant naïvement ma défense. Vous êtes vraiment trop indulgent. C'est ni plus ni moins qu'une impolitesse. Involontaire, naturellement. Et comment Simonov a-t-il... hum !

— Si l'on m'avait joué un tour pareil, remarqua Fertfitchkine, j'aurais...

— Vous auriez dû vous faire servir quelque chose, l'interrompit Zverkov, ou même votre dîner au complet, sans nous attendre.

— Convenez que j'aurais pu le faire sans demander

la permission à personne, tranchai-je. Si j'ai attendu, c'est...

— A table, messieurs ! s'écria Simonov en rentrant, tout est prêt ; je vous réponds du champagne, il est frappé à point... C'est que je n'avais pas votre adresse, où vous aurais-je trouvé ?

Il se tourna brusquement vers moi, mais toujours sans me regarder. Apparemment, il avait une dent contre moi. Donc, depuis hier, il avait réfléchi.

Tout le monde s'assit ; moi aussi. La table était ronde. Troudolioubov se trouva à ma gauche, Simonov à ma droite. Zverkov en face de moi, Ferfitchkine entre lui et Troudolioubov.

— Dites-moi, mon cher, vous êtes... dans l'âdministrâtion ?

Zverkov s'intéressait toujours à moi. Me voyant embarrassé il s'était sérieusement imaginé qu'il fallait m'entourer, me redonner courage, pour ainsi dire. « Mais qu'est-ce qu'il cherche ? Que je lui lance une bouteille à la tête ou quoi ? » me demandai-je au comble de la fureur. Par manque d'habitude, je laissais mon irritation monter à une vitesse extravagante.

— A la chancellerie de X, débitai-je les yeux baissés sur mon assiette.

— Et c'est avantâgeux ? Dites-môa, mon cher, ce qui vous â incité â quitter votre poste précédent ?

— Justement l'avantâââge de le quitter, étirai-je trois fois plus de lui.

Je ne me possédais presque plus. Ferfitchkine pouffa. Simonov me regarda d'un air ironique ; Troudolioubov s'arrêta de manger et m'observa avec curiosité.

Zverkov était choqué, mais il était décidé à passer la chose sous silence.

— Et âlors, votre traitement ?

— Quel traitement ?

— Je veux dire vos émôluments ?

— C'est un examen que vous me faites passer ?

D'ailleurs, je leur donnai séance tenante le chiffre de mes émoluments. J'étais cramoisi.

— Ce n'est pas lourd, remarqua Zverkov .

— Eh oui, n'est-ce pas ! Ça ne vous permet pas de dîner dans les *cafés-restaurants !** renchérit Ferfitchkine avec insolence.

— Pour moi, c'est tout simplement la pauvreté, dit Troudolioubov avec sérieux.

— Et comme vous avez maigri, comme vous avez changé... depuis l'ancien temps... ajouta Zverkov, mais cette fois non sans fiel, avec une sorte de pitié, d'arrogance, en me détaillant, moi et mon costume.

— Allons, assez ! Vous le gênez, s'écria Ferfitchkine en s'esclaffant.

— Mon cher Monsieur, sachez que je ne me sens nullement gêné — explosai-je enfin — vous entendez, hein ! Je paye mon dîner « dans ce *café-restaurant* »* de mes propres deniers, les miens et non ceux des autres, remarquez bien cela, *monsieur** Ferfitchkine.

— Com-ment ! Mais qui ne paye pas son écot de ses deniers, ici ? On dirait que vous... ergota Ferfitchkine en rougissant comme une écrevisse et en plongeant dans mes yeux un regard furibond.

— Com-me-ça ! répondis-je, conscient d'aller trop loin. Et je présume que nous ferions mieux de trouver un sujet de conversation un peu plus intelligent.

— Tiens ! Vous vous disposez à étaler votre esprit ?

— Rassurez-vous, ici, ce serait tout à fait superflu.

— Mais qu'est-ce qui vous prend de caqueter comme ça, hein, monsieur ? Ne seriez-vous pas devenu fou dans votre admi*n*istration ?

— Assez, messieurs, çà suffit ! s'écria Zverkov du haut de son autorité.

— Que c'est bête ! grommela Simonov.

— C'est vrai que c'est bête. Nous nous sommes réunis entre amis pour faire nos adieux à l'un des nôtres, et vous voilà en train de régler vos comptes, dit Troudolioubov, me prenant rudement à partie. C'est vous qui vous êtes invité, hier, alors ne gâchez pas l'harmonie générale...

— Assez ! Assez ! criait Zverkov. Arrêtez, messieurs, cela ne va pas. Je vais plutôt vous raconter comment j'ai failli me marier, il y a deux jours...

Là-dessus commencèrent je ne sais quels racontars
comme quoi, il y avait deux jours, ce monsieur avait
bien failli se marier. Il ne fut pas question une seule
fois de mariage, d'ailleurs, mais le récit était constellé
de généraux, de colonels et même de gentilshommes
de la Chambre, parmi lesquels Zverkov semblait
presque venir en tête. Des rires approbateurs montè-
rent ; Ferfitchkine en glapissait.

Tout le monde m'avait abandonné, et je demeurai
écrasé, anéanti.

« Mon Dieu, comme si cette société pouvait être la
mienne ! me disais-je. Et pour quel imbécile me suis-je
fait passer à leurs yeux ? Tout de même, j'ai laissé
Ferfitchkine en prendre trop à son aise. Ces crétins
s'imaginent qu'en m'admettant à leur table ils m'ont
fait un grand honneur, et ils ne comprennent pas que
c'est moi, moi qui leur fais honneur, et pas le
contraire ! » « J'ai maigri ! Mon costume ! » « Ah, ces
maudits pantalons ! Cela fait un moment que Zverkov
a remarqué la tache jaune sur mon genou... Allons, à
quoi bon ! Je vais me lever tout de suite, à l'instant
même, prendre mon chapeau et m'en aller simplement sans dire un mot... Par mépris ! Et demain, je
suis prêt à me battre en duel. Les goujats ! Ce n'est
tout de même pas mes sept roubles que je regretterais.
Ma foi, ils pourraient croire... Bon Dieu ! Je ne
regrette pas mes sept roubles ! Je m'en vais immédiatement !... »

Bien entendu, je suis resté.

De chagrin, j'avalais verre sur verre de château-
lafite et de xérès. Je n'avais pas l'habitude, le vin m'est
très vite monté à la tête. Et mon dépit avec lui. Soudain, l'idée m'est venue de ne partir qu'après leur
avoir fait un affront aussi sanglant que possible, à tous
les quatre. Saisir le bon moment pour leur montrer
qui j'étais ; qu'ils disent : Oui, il est ridicule, mais
intelligent... et... et... bref, qu'ils aillent tous au diable !

Je promenais insolemment à la ronde mon regard
hébété. Mais ils semblaient m'avoir complètement

oublié. *Eux*, ils faisaient du bruit, ils criaient, ils s'amusaient. C'était Zverkov qui tenait le crachoir. Je tendis l'oreille. Il parlait d'une opulente dame qu'il avait amenée à lui avouer son amour (naturellement, il mentait comme une jument), et disait qu'il avait été particulièrement aidé dans cette affaire par un de ses intimes, le petit prince Kolia, un hussard qui était à la tête de trois mille âmes.

— N'empêche que ce Kolia à la tête de trois mille âmes on n'en aura pas vu la couleur, à votre repas d'adieu.

C'était moi qui m'immisçais brutalement dans la conversation. Il y eut un moment de silence.

— Vous êtes déjà ivre, à l'heure qu'il est.

Troudolioubov louchait sur moi avec mépris : il avait enfin daigné me remarquer. Zverkov me regardait comme on regarde un insecte, sans dire un mot. J'ai baissé les yeux. Simonov s'est empressé de verser le champagne. Troudolioubov a levé sa coupe, et tous les autres après lui, sauf moi.

— A ta santé et bon voyage ! a-t-il crié à Zverkov. A l'ancien temps, messieurs, et à notre avenir ! Hourra !

Ils ont vidé leur verre et sont allés se frotter le museau avec Zverkov. Je n'ai pas bougé ; mon champagne était resté devant moi sur la table, intact.

— Vous n'entendez donc pas boire ? a grondé Troudolioubov perdant patience et l'air menaçant.

— Je veux prononcer mon propre speech, à ma façon... après quoi je boirai, monsieur Troudolioubov.

— Sale teigne ! a grommelé Simonov.

Je me suis redressé sur ma chaise et j'ai saisi ma coupe d'un geste fiévreux ; je me préparais à quelque chose d'extraordinaire, sans savoir encore au juste ce que j'allais dire.

— *Silence* !* a proféré Ferfitchkine. Il va y avoir un grand déploiement d'intelligence.

Zverkov attendait avec gravité, comprenant de quoi il retournait.

— Monsieur le lieutenant, ai-je commencé, sachez

que j'ai horreur des grandes phrases, des phraseurs, et des tailles sanglées ... Voici pour le premier point. Il sera suivi du deuxième.

Il y a eu un grand remue-ménage.

— Deuxième point : j'ai horreur des fraises et de leurs amateurs. Surtout de leurs amateurs. Troisième point : j'aime la vérité, la franchise et l'honnêteté, ai-je continué presque machinalement, car je commençais à me glacer d'horreur, ne comprenant pas moi-même comment je faisais pour parler ainsi... — J'aime la pensée, *monsieur** Zverkov, j'aime la véritable camaraderie, sur un pied d'égalité, et non... heu... J'aime... Mais, dans le fond, pourquoi pas ? Moi aussi, je vais boire à votre santé, *monsieur** Zverkov. Séduisez les belles Circassiennes, tirez sur les ennemis de la patrie, et... et... A votre santé, *monsieur** Zverkov !

Zverkov s'est levé, m'a salué et dit :

— Je vous suis très obligé.

Il était terriblement vexé, il en avait pâli.

— Nom de Dieu ! a mugi Troudolioubov en abattant le poing sur la table.

— Non, des choses comme ça, ça se paye à coup de poing dans la gueule, a glapi Ferfitchkine.

— Il n'y a qu'à le mettre dehors, a grommelé Simonov.

— Pas un mot, messieurs, pas un geste ! a proféré solennellement Zverkov, mettant un terme à l'indignation générale. Je vous remercie tous, mais je saurai lui montrer moi-même comment j'apprécie ses paroles.

— Monsieur Ferfitchkine, dès demain vous me rendrez raison des paroles que vous venez de prononcer ! ai-je dit d'une voix forte et grave.

— C'est un duel, monsieur ? A vos ordres, a répondu l'autre, mais mon défi devait être si ridicule et si mal convenir à mon personnage que les trois autres, et Ferfitchkine à leur suite, se sont tordus de rire.

— Mais oui, laissez-le, il est complètement soûl ! a articulé Troudolioubov avec répulsion.

— Je ne me pardonnerai jamais de l'avoir inscrit, a de nouveau grommelé Simonov.

« Ça serait le moment de leur flanquer une bouteille à la figure, à tous les quatre », ai-je pensé. Sur quoi, j'ai pris une bouteille... et j'ai rempli mon verre à ras bords.

« ...Non, il vaut mieux rester jusqu'au bout, ai-je poursuivi en moi-même, vous seriez trop contents de me voir partir, messieurs ! Pour rien au monde. Je vais rester là à boire jusqu'au bout, exprès pour vous marquer que je ne vous reconnais aucune importance. Je vais rester là à boire, parce que je suis dans un mastroquet et que j'ai payé mon écot à l'entrée. Je vais rester là à boire parce que, pour moi, vous n'êtes que des pions sur un échiquier, des pions inexistants. Je vais rester là à boire... et à chanter, si ça me plaît, s'pas, et chanter parce que j'en ai le droit... de chanter... hum ! »

Mais je n'ai pas chanté. Je me suis surtout efforcé de ne pas les regarder ; j'ai pris les poses les plus dégagées et attendu avec impatience qu'ils m'adressent la parole *les premiers*. Mais, hélas ! ils ne l'ont pas fait. Ah, comme j'aurais souhaité me réconcilier avec eux ! Comme je l'aurais souhaité ! Huit heures ont sonné, puis enfin, neuf. Ils sont passés de la table au canapé ; Zverkov s'y est étalé, un pied sur le guéridon où ils ont transporté le vin. Il avait vraiment offert trois bouteilles de champagne. Naturellement, il ne m'a pas convié à les rejoindre. Les trois autres l'entouraient sur le divan. Ils l'écoutaient avec quelque chose qui était presque de la vénération. On voyait bien qu'ils l'aimaient. « Mais pourquoi ? Pourquoi ? » me demandai-je en moi-même. De temps à autre, emportés par leur exaltation d'ivrognes, ils s'embrassaient. Ils parlaient du Caucase, de ce qu'est une passion véritable, de *galbik*[30], de postes lucratifs ; des revenus de Podkharjevski, un hussard qu'aucun d'eux ne connaissait personnellement, ce qui ne les empêchait pas de se réjouir de l'importance de ses revenus ; de l'extraordinaire beauté et de la grâce de la princesse D. qu'aucun d'eux n'avait jamais vue non plus ; ils en arrivèrent enfin à Shakespeare, qui fut décrété immortel.

Je souriais de mon haut et j'arpentais l'autre bout de la pièce, juste en face du divan, le long du mur, de la table au poêle et retour. Je voulais à toute force leur

montrer que je pouvais parfaitement me passer d'eux ;
et cependant, je martelais exprès le plancher, faisais sonner
mes talons. Mais tout cela, en pure perte. *Eux*, ils ne me
prêtaient aucune attention. J'ai eu la patience d'aller et
venir ainsi, en plein devant eux, de huit heures à onze
heures, suivant immuablement mon trajet de la table au
poêle et retour. « Voilà, je me promène à l'aise, et personne n'a le droit de me l'interdire. » Le garçon qui
entrait et sortait pour son service s'est arrêté à plusieurs
reprises pour me dévisager ; mes pirouettes répétées me
faisaient tourner la tête, il y avait des moments où je
croyais délirer. En trois heures, trois fois je m'étais retrouvé
en nage et trois fois j'avais séché. Parfois, l'idée que dix
ans, vingt ans, quarante ans passeraient et que même
dans quarante ans, je me rappellerais encore avec dégoût,
avec humiliation ces minutes, les plus sordides, les plus
ridicules, les plus horribles de toute ma vie, me poignait
le cœur de son lancinant poison. Il eût été impossible de
s'humilier plus bassement, plus délibérément, j'en étais
parfaitement, mais alors, parfaitement conscient, et pourtant je continuais à aller et venir de la table à la che-
minée. « O, si seulement vous saviez de quels sentiments, de quelles pensées je suis capable, et comme je
suis évolué ! » songeai-je par moments en m'adressant
au divan sur lequel trônaient mes ennemis. Lesquels
ennemis se conduisaient comme si je n'étais même pas
dans la pièce. Sinon qu'une fois, ils se sont tournés vers
moi, c'était juste au moment où Zverkov parlait de Shakespeare et où j'ai laissé échapper un rire de mépris. J'ai
pouffé d'une façon si peu naturelle, si dégoûtante, qu'ils
se sont tous arrêtés de parler en même temps et m'ont
regardé, une minute ou deux, en silence, avec gravité,
sans rire, raser le mur de la table au poêle *sans leur prêter
la moindre attention*. Mais cela n'a rien donné : ils ne
m'ont pas adressé la parole, et deux minutes plus tard,
ils m'avaient de nouveau perdu de vue. Onze heures ont
sonné.

— Messieurs, s'est écrié Zverkov en quittant son
divan, à présent, allons tous *là-bas*.

— Bien sûr, bien sûr ! ont dit les autres.

Je me suis brusquement tourné vers Zverkov. J'étais à ce point harassé, à ce point rompu que je me serais volontiers tranché la gorge, pourvu que ça finisse ! J'avais la fièvre ; mes cheveux trempés de sueur s'étaient collés à mon front et à mes tempes.

— Zverkov, je vous présente mes excuses, ai-je dit d'une voix tranchante et décidée. A vous aussi, Ferfitchkine, et à vous aussi, à tous, à tous, je vous ai tous offensés.

— Aha ! Le duel n'est pas dans nos cordes, a fielleusement sifflé Ferfitchkine.

J'ai ressenti comme un coup de poignard au cœur.

— Non, Ferfitchkine, ce n'est pas le duel qui me fait peur. Je suis prêt à me battre avec vous dès demain, quand nous nous serons réconciliés. J'insiste même, et vous ne pouvez pas me refuser. Je veux vous prouver que je n'ai pas peur du duel. Vous tirerez le premier. Moi, je tirerai en l'air.

— Il s'amuse lui-même, a remarqué Simonov.

— Il est tout simplement détraqué ! a repris Troudolioubov en écho.

— Mais, laissez-nous passer, je vous prie, pourquoi restez-vous en travers de notre chemin ?... Qu'est-ce que vous nous voulez ? m'a répondu Zverkov avec dédain.

Ils étaient rouges, leurs yeux brillaient, ils avaient beaucoup bu.

— Je vous demande votre amitié, Zverkov, je vous ai offensé, mais...

— Offensé ? Vous ! Môa ! Sachez, mon cher monsieur, que jâmais et en aucune circonstance vous ne sauriez *m'ôffenser !*

— On vous a assez vu, filez ! a renchéri Troudolioubov. En route !

— Olympia est à moi, messieurs, c'est convenu, a crié Zverkov.

— D'accord ! D'accord ! ont répondu les autres en riant.

J'étais là, couvert de crachats. La clique avait fait

une sortie bruyante, Troudolioubov avait commencé
une chanson idiote. Simonov s'est un peu attardé
pour distribuer les pourboires aux serveurs. Soudain,
je l'ai abordé.

— Donnez-moi six roubles, Simonov ! lui ai-je dit
avec la fermeté du désespoir.

Au comble de l'étonnement, il a posé sur moi un
regard étrangement vague. Il était soûl comme les
autres.

— Vous voulez aller *là-bas* avec nous !

— Oui !

— Je n'ai pas d'argent, a-t-il coupé dédaigneuse-
ment, sur quoi il a quitté le cabinet.

Je l'ai empoigné par son manteau. C'était un cau-
chemar.

— Simonov ! J'ai vu que vous en aviez, pourquoi
me refusez-vous ? Suis-je un goujat ? Prenez garde de
me refuser : si vous saviez, ah ! si vous saviez pourquoi
je vous le demande ! Tout en dépend, tout mon
avenir, tous mes projets...

Il a sorti l'argent et me l'a presque jeté.

— Tenez, puisque vous manquez à ce point de
pudeur ! a-t-il articulé sans pitié en courant rattraper
les autres.

Je suis resté seul un moment. Désordre, restes, un
verre brisé par terre, vin répandu, bouts de cigarettes,
ivresse et délire dans ma tête, une affreuse angoisse au
cœur et enfin ce laquais qui avait tout vu, tout entendu
et me regardait avec curiosité, droit dans les yeux.

— *Là-bas !* me suis-je écrié. « Ou bien ils implore-
ront mon amitié à genoux en me baisant les pieds, ou
bien... j'envoie une claque à Zverkov ! »

V

— Ainsi, le voilà ! Le voilà enfin, le face-à-face avec
la réalité, bafouillais-je en dévalant l'escalier. Ça, hein,

c'est autre chose que le Pape quittant Rome pour le
Brésil ; ça c'est autre chose que le bal du lac de
Côme !

« Si tu ris de cela, à présent, me traversa-t-il l'esprit,
tu n'es qu'un goujat. »

— Qu'importe, m'écriai-je, me répondant à moi-
même. A présent, tout est perdu !

Ils avaient déjà filé, mais cela ne faisait rien, je
savais où ils étaient allés.

Un minable Ivan[31], un nuiteux en grosse souque-
nille, stationnait à la sortie ; il était complètement
poudré de cette neige à moitié fondue et quasi tiède
qui continuait à tomber. Il faisait humide et lourd. Sa
haridelle, petite, à longs poils pie était poudrée de
même et toussait ; je m'en souviens très nettement. Je
me jetai dans son traîneau de croquant ; mais à peine
y avais-je posé le pied et me disposais-je à m'asseoir
que le souvenir de la façon dont Simonov m'avait
donné les six roubles me faucha littéralement et que je
m'effondrai comme un sac.

— Non ! Il faut que je m'arrange pour racheter tout
ça, proférai-je. Mais je le rachèterai ou je mourrai sur
place, cette nuit. En route !

Nous partîmes. Un véritable tourbillon s'était
déchaîné dans ma tête.

« Ils n'iront pas implorer mon amitié à genoux.
C'est un mirage, un mirage vulgaire, révoltant,
romantique et fantastique ; toujours le bal du lac de
Côme. Donc, je *dois* envoyer sa claque à Zverkov. J'y
suis obligé. Allons, c'est décidé ! Je file là-bas lui
envoyer sa claque. » « Fouette cocher ! »

L'Ivan toucha les rênes.

« A peine entré, je la lui enverrai. Faut-il d'abord lui
dire quelques mots en guise de prologue ? Non. J'en-
trerai et je la lui enverrai. Ils seront tous au salon, lui
sur un divan avec Olympia. Maudite Olympia ! Un
jour, elle s'est moquée de ma figure et m'a refusé. Je la
traînerai par les cheveux et Zverkov par les oreilles !
Non, plutôt par une seule oreille, et par cette oreil-
le-là, je lui ferai faire le tour complet de la pièce. Ils

vont peut-être me taper dessus, tous ensemble et me
jeter dehors. N'importe ! C'est moi qui aurai envoyé la
claque le premier : l'initiative sera venue de moi, et
selon le code de l'honneur, cela suffit ; il sera marqué
et ce ne sont pas les coups qui laveront l'opprobre, il
ne lui restera que le duel. Il faudra bien qu'il se batte.
Et que les autres fassent tomber leurs coups sur moi,
les infâmes ! Troudolioubov plus durement que les
autres — c'est qu'il est fort ! Ferfitchkine m'aggripera
de biais et me prendra aux cheveux, il y a bien des
chances. Tant pis ! tant pis ! C'est au-devant de ça
que je vais. Il faudra bien que leurs cervelles de
mouton saisissent enfin le tragique de la chose. Lorsqu'ils me traîneront vers la sortie, je leur crierai qu'en
somme, ils ne valent pas mon petit doigt. »

— Fouette, fouette, cocher ! criais-je à l'Ivan.

Il en tressaillit et brandit son fouet. Mon cri était
par trop sauvage.

« Nous nous battrons à l'aube, c'est décidé. Finie
l'administration. Tout à l'heure, Ferfitchkine a dit
admimistration au lieu d'administration. Mais où
trouver des pistolets ? Quelle bêtise ! Je prendrai une
avance sur mon traitement et j'en achèterai. Et la poudre ? Et les balles ? Ça, c'est l'affaire de mon témoin.
Mais comment régler tout cela avant l'aube ? Et où
trouver un témoin ? Je ne fréquente personne...
Bêtises que tout ça ! me suis-je écrié en m'emballant
encore plus, bêtises ! Le premier chien coiffé que je
rencontrerai dans la rue et à qui je le demanderai sera
obligé d'accepter comme on est obligé de sauver un
homme qui se noie. Les situations les plus excentri-
ques doivent être admises. Si je m'adressai demain à
mon directeur en personne, même lui, il devrait
accepter par esprit chevaleresque et garder le secret.
Anton Antonytch... »

Or, au même instant, je voyais plus nettement, plus
vivement que quiconque au monde l'odieuse incon-
gruité de mes suppositions et le revers de la médaille,
mais...

— Fouette, fouette, cocher ! Fouette, canaille !

— Ah ! *barine !* articula la force paysanne.

Le froid me saisit soudain.

« Ne voudrait-il pas mieux... ne vaudrait-il pas mieux... rentrer tout droit à la maison ? Oh, mon Dieu ! Pourquoi, mais pourquoi me suis-je invité à ce dîner, hier ? Mais non, c'est impossible ! Et cette promenade de trois heures de la table au poêle ? Non, c'est eux, eux et personne d'autre qui devront me payer cette promenade ! C'est eux qui doivent laver ce déshonneur ! » « Fouette ! »

« Et s'ils m'expédiaient au poste ? Ils n'oseraient pas ? Ils auront peur du scandale. Et si, par dédain, Zverkov refusait le duel ? C'est même sûrement ce qui va se passer ; mais alors, je leur prouverai... Alors, je me précipiterai au relais de poste, demain, quand il partira, je lui attraperai la jambe, j'arracherai sa capote, au moment où il montera en voiture. Je lui enfoncerai les dents dans la main, je le mordrai. » « Regardez tous jusqu'où l'on peut pousser un homme désespéré ! » Qu'importe s'il me frappe à la tête et tous les autres par-derrière. Je crierai à l'assistance : « Regardez, voici un jeune chiot qui part séduire les belles Circassiennes, la figure mouillée de mes crachats ! »

Bien entendu, après cela, il n'y aura plus qu'à tirer l'échelle. Mon administration aura disparu de la face du monde. On m'arrêtera, on me jugera, on me chassera de ma place, on m'enfermera dans une forteresse, on m'exilera en Sibérie. Peu importe ! Quinze ans plus tard, quand on m'aura relâché, je partirai, en haillons, en mendiant, à sa recherche. Je le retrouverai au fin fond d'une ville de province. Il sera marié et heureux. Il aura une grande fille... Je lui dirai : « Regarde, monstre, regarde mes joues hâves et mes haillons ! J'ai tout perdu : carrière, bonheur, art, science, *la femme que j'aimais*, et tout cela à cause de toi. Voici des pistolets. Je suis venu vider mon pistolet et... et je te pardonne. » A ce moment, je tirerai en l'air, puis l'on n'entendra plus parler de moi.. »

J'étais au bord des larmes, et pourtant, au même

moment, je savais — le doute n'était pas permis — que tout ça, je l'avais tiré de Sylvio[32] et de *Mascarade* de Lermontov[33]. Un flot de honte m'a soudain envahi, d'une telle honte que j'ai fait arrêter le cheval, que je suis descendu de mon traîneau et me suis planté dans la neige, au beau milieu de la rue. L'Ivan me regardait avec stupéfaction et en poussant de grands soupirs.

Que faire ? Il ne fallait pas aller là-bas — c'était une bêtise ; il ne fallait pas abandonner l'affaire, parce qu'alors ce serait... « Seigneur ! Mais comment pourrais-je abandonner cela ? Après de tels affronts ? Non ! ai-je de nouveau proféré en me jetant dans le traîneau : c'est ma prédestination, c'est la fatalité ! Fouette, fouette, cocher ! »

Et dans mon impatience, je lui ai assené un coup de poing sur la nuque.

— Mais qu'est-ce que t'as à cogner ? a crié mon minable moujik, tout en cinglant quand même sa haridelle de telle sorte qu'elle s'est mise à ruer.

La neige fondante tombait à gros flocons ; je m'étais découvert, je m'en moquais bien, de la neige ! J'avais tout oublié, parce que je m'étais définitivement décidé pour la claque et que je sentais avec terreur que c'était *irrémédiablement pour tout de suite*, que cela allait arriver et que *désormais, aucune force au monde ne pourrait l'arrêter*. Dans le désert des rues, pareils à des flambeaux funéraires, les réverbères déversaient, à travers le voile de neige, leur morne scintillement. La neige s'entassait sous mon manteau, sous ma redingote, sous ma cravate et y fondait ; je ne me couvrais pas : de toute façon, tout était perdu. Nous avons fini par arriver. J'ai sauté à bas du traîneau dans un état voisin de l'inconscience, j'ai couru en haut des marches et j'ai tapé à la porte, des pieds et des mains. Mes jambes étaient sans force, surtout aux genoux. On m'a ouvert étrangement vite, comme si on savait que j'allais venir. (Effectivement, Simonov avait averti qu'il viendrait peut-être une personne de plus, car, ici, il fallait avertir et, d'une manière générale prendre des précautions. C'était l'un des « magasins de mode » de l'époque, de ceux que la police a depuis longtemps supprimés. Dans la journée, c'était vraiment un magasin ; le soir, lorsqu'on était recommandé, on pouvait y revenir en visite.) J'ai traversé d'un pas vif le magasin plongé dans l'obscurité pour gagner le salon dont je connaissais déjà le chemin ; une unique bougie l'éclairait. Je me suis arrêté net : je n'y comprenais rien, il n'y avait personne.

— Où sont-ils donc ! ai-je demandé.

Mais naturellement, ils avaient eu le temps de partir chacun de son côté...

La personne qui se tenait devant moi, un sourire bête aux lèvres, était la tenancière en personne, pour qui je n'étais pas un étranger. Un instant plus tard, une autre porte s'est ouverte et une autre personne est entrée.

Sans faire attention à rien, j'arpentais la pièce et je crois bien que je parlais tout seul. On aurait dit que je venais d'échapper à la mort et que, le pressentant, mon être tout entier s'abandonnait à la joie : c'est que je l'aurais envoyée, cette claque, sans faute, je l'aurais envoyée sans faute ! Mais à présent qu'ils n'étaient pas là... tout avait disparu, tout avait changé !... Je regardais autour de moi. Je ne parvenais pas à reprendre mes esprits. Machinalement, j'ai levé les yeux sur la demoiselle qui venait d'entrer : j'ai entrevu un visage frais, jeune, un peu blême, avec des sourcils noirs et droits et un regard sérieux, légèrement étonné. Il m'a aussitôt plu : si elle avait souri, je l'aurais détestée. Je l'ai dévisagée plus fixement, avec une sorte d'effort : je n'avais pas encore tout à fait repris mes esprits. Il y avait, dans ce visage, quelque chose de naïf et de bon, mais de sérieux jusqu'à l'étrange. Je suis sûr que cela ne la servait guère ici et qu'aucun des autres imbéciles ne l'avait remarquée. D'ailleurs, on n'aurait pu dire que c'était une beauté, bien qu'elle fût grande, forte et bien faite. Elle était habillée avec une excessive simplicité. Quelque chose d'infect m'a mordu, je suis allé droit à elle...

Je me suis aperçu par hasard dans une glace. Ma

figure surexcitée m'a paru repoussante à l'extrême :
pâle, méchante, ignoble, les cheveux en bataille.
« Tant mieux, j'en suis ravi, me suis-je dit, je suis ravi
qu'elle me trouve repoussant, ravi... »

VI

... Quelque part de l'autre côté de la cloison,
comme si on la serrait, comme si on l'étranglait, une
pendule râla. Ce râle d'une durée extraordinaire fut
suivi d'une petite sonnerie grêle, immonde, d'une surprenant rapidité — on aurait dit quelqu'un qui se jette
brusquement en avant. Deux heures venaient de
sonner. Je revenais à la réalité, bien qu'à vrai dire, je
n'aie pas dormi, mais seulement à demi sommeillé.

La chambre, petite, étroite et basse, encombrée
d'une énorme armoire à vêtements et jonchée de car-
tons, de chiffons et autres fanfreluches d'habillement,
était plongée dans une obscurité presque complète. Le
bout de chandelle qui brûlait sur une table à l'autre
bout de la pièce finissait de s'éteindre et n'avait plus
que de rares sursauts. Dans quelques minutes, il ferait
complètement noir.

La réalité, je n'ai pas mis longtemps à y revenir ;
d'un seul coup et sans effort je me suis tout rappelé,
comme si cela me guettait pour s'abattre une fois de
plus sur moi. D'ailleurs, même dans mon demi-
sommeil, il avait subsisté dans ma mémoire un point
qui refusait de s'effacer, autour duquel allaient et
venaient mes somnolentes songeries. Mais, chose
étrange, tout ce qui m'était arrivé ce jour-là me paraissait, maintenant que j'étais réveillé, perdu dans un
lointain passé dont j'étais, depuis très, très longtemps,
sorti.

Les fumées de l'alcool m'embrumaient la tête.
Quelque chose semblait rouler au-dessus de moi,
quelque chose qui me heurtait, m'enfiévrait, m'inquié-

tait. De nouveau, l'angoisse et le fiel bouillonnaient en moi et se cherchaient une issue. Soudain, à mes côtés, j'ai aperçu deux yeux largement ouverts qui me fixaient avec curiosité. Leur regard était froid, apathique, sombre, totalement étranger ; il vous laissait une impression pénible.

Une sombre pensée a germé dans mon cerveau et propagé dans tout mon corps une sensation écœurante, semblable à celle que l'on éprouve en pénétrant dans un souterrain humide et renfermé. Ce qui ne semblait pas naturel, c'est que ces deux yeux n'aient songé à me fixer qu'à présent. Je me suis également rappelé que deux heures de rang, je n'avais pas échangé une parole avec cette créature, n'en voyant aucunement la nécessité ; tout à l'heure, cela avait même été de mon goût. Maintenant j'étais brusquement saisi de l'idée absurde, répugnante comme une araignée, de la débauche qui, sans amour, grossière, éhontée, commence directement par ce qui est le couronnement de l'amour véritable. Nous nous sommes dévisagés ainsi longtemps, mais elle n'a pas baissé les yeux, n'a rien changé à son regard, si bien que j'ai fini par éprouver un sentiment d'angoisse inattendu.

— Comment t'appelles-tu, lui ai-je demandé d'une voix saccadée, pour en finir plus vite.

— Lisa, a-t-elle presque murmuré d'un air tout à fait revêche en détournant les yeux.

Je n'ai d'abord rien dit, puis :

— Quel temps, aujourd'hui... Cette neige... c'est dégoûtant ! ai-je articulé presque en moi-même, avec ennui, en croisant les mains sous la nuque et regardant le plafond.

Elle ne répondait pas. Tout cela était scandaleux.

— Tu es d'ici ? ai-je repris au bout d'un instant presque fâché, en tournant à demi la tête vers elle.

— Non.

— Et d'où ?

— De Riga, a-t-elle articulé à contrecœur.

— Allemande ?

— Russe.
— Tu es ici depuis longtemps ?
— Où ?
— Dans cette maison.
— Quinze jours.

Son débit était de plus en plus saccadé. La chandelle s'était éteinte, je ne lui voyais plus la figure.

— Tu as tes parents ?
— Oui... non... oui.
— Où sont-ils ?
— Là-bas... à Riga.
— Qui sont-ils ?
— Comme ça...
— Comment : comme ça ? De telle condition[34] ?
— Petits-bourgeois.
— Tu as toujours habité avec eux ?
— Oui.
— Quel âge as-tu ?
— Vingt ans.
— Pourquoi les as-tu quittés ?
— Comme ça...

Ce *comme ça* signifiait : « Laisse-moi en paix, tu me rends malade. » Nous nous sommes tus.

Dieu sait pourquoi je ne m'en allais pas. Moi-même, j'étais de plus en plus mélancolique et écœuré. Les images de la veille se succédaient en désordre, comme d'elles-mêmes, malgré moi, dans ma mémoire. Je me suis soudain rappelé une scène que j'avais vue le matin dans la rue, alors que tout à mes soucis, je trottais au bureau.

— Ce matin, j'ai vu des gens qui sortaient un cercueil d'une maison et qui ont failli le laisser tomber, ai-je articulé à voix haute, sans aucun désir d'entamer une conversation, presque sans le faire exprès.

— Un cercueil ?

— Oui, place Sennaïa[35]. On le sortait d'un sous-sol.

— D'une cave ?

— Non, d'un logement en sous-sol... tu sais... en bas... d'une mauvaise maison... Il y avait une de ces saletés, autour... Des épluchures, des ordures... cela puait, c'était infect.

Un silence.

— Un enterrement aujourd'hui, ça a dû être pénible, ai-je repris une fois encore, rien que pour ne pas me taire.

— Pénible en quoi ?

— La neige, l'humidité... (J'ai bâillé.)

— C'est bien pareil, a-t-elle dit, après un silence.

— Non, c'est pénible... (J'ai encore bâillé.) Les fossoyeurs ont sûrement pesté après cette neige qui détrempe tout. Et la fosse devait être pleine d'eau.

— Pourquoi de l'eau dans la fosse ? m'a-t-elle demandé avec une sorte de curiosité, mais d'un débit encore plus haché et plus rude.

Soudain, quelque chose m'a aiguillonné.

— Eh bien, il y a dans les six *verchok*[36] d'eau au fond de la fosse. On ne creuserait pas une seule tombe au sec, au cimetière de Volkovo[37].

— Pourquoi ?

— Comment, pourquoi ? L'endroit est saturé d'eau. Nous sommes en plein marécage. Alors, on enterre dans l'eau. Je l'ai vu moi-même... bien des fois...

(Je ne l'avais jamais vu, d'ailleurs, je n'étais jamais allé à Volkovo, je l'avais seulement entendu raconter.)

— Ça t'est donc vraiment égal de mourir ?

— Pourquoi est-ce que je mourrais ? — on aurait dit qu'elle se défendait.

— Tu mourras bien un jour, et exactement comme l'autre, la morte de ce matin. C'était aussi... une jeune fille... Elle est partie de la poitrine.

— Une fille serait morte à l'hôpital...

(Elle sait déjà cela, ai-je pensé, et elle n'a pas dit « une jeune fille », mais « une fille ».)

— Elle devait de l'argent à la patronne, ai-je répliqué de plus en plus excité par la discussion, et elle a travaillé pour elle, presque jusqu'à la fin, malgré sa maladie de poitrine. Il y avait plein de cochers qui en parlaient avec des soldats. Ses anciennes connais-

sances, à coup sûr. Ils riaient. Ils se préparaient même
à aller boire un verre à sa mémoire au cabaret. (Là
aussi, je brodais sérieusement.)

Un silence, un long silence. Elle n'a pas fait un
geste.

— Au reste, crois-tu que c'est mieux de mourir à
l'hôpital ?

— N'est-ce pas pareil ? Et puis pourquoi est-ce que
j'irais mourir ? a-t-elle ajouté avec irritation.

— Pas maintenant, admettons. Mais plus tard ?

— Ben, même plus tard...

— Tu penses ! Pour l'instant, tu es jeune, jolie,
fraîche — et c'est à ça qu'on t'évalue. Mais au bout
d'un an de cette vie, tu ne seras plus la même, tu te
seras fanée.

— Dans un an ?

— En tout cas, dans un an, tu vaudras moins
cher, ai-je continué avec une joie maligne. Tu partiras d'ici pour une maison de rang inférieur. Encore
un an, dans une troisième, à chaque fois tu descen-
dras d'un degré, et dans quelque chose comme sept
ans tu en seras arrivée à la Sennaïa et à son sous-sol.
Ce ne serait pas le pire. Où ça irait mal, c'est si, en
plus, tu attrapais une maladie, je ne sais pas, une
faiblesse de la poitrine... mettons que tu prennes
froid par ta faute... ou autre chose. Quand on mène
cette vie-là, la maladie, on la paye cher. Une fois
qu'elle s'est accrochée, plus moyen de la décrocher.
Alors, tu mourras.

— Eh bien, je mourrai ! — cette fois, un petit mouvement vif a trahi sa rage.

— C'est que c'est pitié.

— Pitié de quoi ?

— De la vie.

Un silence.

— Tu avais un fiancé, hein ?

— Qu'est-ce que ça peut vous faire ?

— Ce n'est pas un interrogatoire. Qu'est-ce que tu
veux que ça me fasse ? Pourquoi est-ce que tu te
fâches ? Tu as sûrement eu tes propres ennuis. En

quoi est-ce que cela me regarde ? Seulement, ça me fait pitié.

— Pitié de qui ?

— De toi.

— Ça ne vaut pas la peine... a-t-elle murmuré d'une voix très basse en refaisant un petit mouvement vif.

Cela a réveillé ma rage. Comment ! Je me laissais aller à tant de gentillesse, et elle...

— Mais qu'est-ce que tu crois ? Que tu es sur la bonne voie ?

— Je ne crois rien.

— C'est bien ce qui ne va pas. Reviens à toi tant qu'il en est encore temps. Et il est encore temps. Tu es encore jeune, tu es belle ; tu pourrais aimer, te marier, être heureuse...

— Les femmes mariées ne sont pas toutes heureuses, a-t-elle coupé de son débit rapide et rude de tout à l'heure.

— Pas toutes bien sûr, mais cela vaut quand même beaucoup mieux que d'être ici. Incomparablement mieux. Avec amour et sans bonheur, on peut vivre. La vie est belle même dans le chagrin, la vie est belle quelle qu'elle soit. Mais ici, qu'y a-t-il d'autre... qu'une puanteur infecte. Pouah !

Je lui ai tourné le dos avec répulsion ; je n'étais plus en train de moraliser froidement, je commençais à éprouver réellement les sentiments que j'exprimais. Je brûlais d'exposer les précieuses *petites idées* que j'avais vécues dans mon coin. Quelque chose venait de s'allumer en moi, sans avertissement, un but mal défini était « apparu ».

— Ne fais pas attention que tu me vois ici, je ne suis pas un exemple. Je suis peut-être encore pire que toi. D'ailleurs, quand je suis arrivé, j'étais soûl — j'avais quand même hâte de me justifier —. De plus, un homme n'est jamais un exemple pour une femme. Ce sont deux choses différentes : j'ai beau me salir, me souiller, je ne suis, pour la peine, l'esclave de personne ; je suis venu, je suis parti, j'ai disparu. Je me

suis secoué, et je ne suis plus le même. Tandis que toi,
tu as commencé par devenir une esclave. Oui, une
esclave ! Tu abandonnes tout ce que tu as, toute ta
liberté. Après, tu voudras rompre cette chaîne, mais
trop tard ! Elle t'entravera de plus en plus étroitement.
Elle est ainsi, cette chaîne maudite. Je la connais. Je
passe sur d'autres choses que tu ne comprendrais probablement pas, mais dis voir : tu dois déjà de l'argent
à la patronne, je parie ? Et voilà ! ai-je ajouté — bien
qu'elle ne m'ait pas répondu ; elle se bornait à
m'écouter de tout son être, — la voilà, ta chaîne. Tu
ne te rachèteras jamais. Ils s'arrangeront pour ça.
Autant avoir vendu son âme au diable...

... Et avec ça, je... je suis peut-être aussi malheureux
que toi, qu'en sais-tu ? et si je me roule dans la boue,
c'est exprès, moi aussi par lassitude, il y en a bien qui
boivent pour noyer leur chagrin, hein ? Eh bien moi,
c'est ici qu'il me conduit, le chagrin. Car dis-moi,
qu'est-ce que ça peut avoir de bon ? Toi et moi... nous
sommes devenus intimes... tout à l'heure, mais nous
ne nous sommes pas dit un mot, ce n'est qu'après que
tu t'es mise à m'examiner comme une sauvagesse ; et
j'en ai fait autant. Est-ce ainsi que l'on aime ? Est-ce
ainsi que deux êtres humains doivent s'unir ? C'est un
pur scandale, voilà ce que c'est.

— Oui ! s'est-elle empressée d'opiner avec rudesse.

J'ai même été étonné de l'empressement de ce *oui*.
C'est donc que la même idée tournait peut-être dans
sa tête, tout à l'heure, quand elle m'observait ? C'est
donc qu'elle aussi, elle était capable d'avoir des
idées ?... « Nom de nom ! c'est curieux, c'est *de la
même veine*, me disais-je ; pour un peu, je me serais
frotté les mains. Et comment ne pas s'en sortir, quand
on a affaire à une âme aussi jeune ?... »

C'était le jeu qui m'excitait.

Elle a avancé la tête vers moi et, dans l'obscurité,
j'ai cru voir qu'elle s'appuyait sur le poing. Peut-être
qu'elle m'observait. Comme je regrettais de ne pouvoir discerner ses yeux. Je l'entendais respirer profondément.

— Pourquoi es-tu venue ici ? ai-je commencé, avec quelque chose comme une teinte d'autorité.

— Comme ça...

— Et pourtant, on est si bien sous le toit paternel. Au chaud, en liberté — dans son nid.

— Et si on y était encore plus mal ?

« Il faudrait me mettre au diapason, m'a-t-il effleuré l'esprit, ce n'est pas avec de la sentimentalité que j'arrangerai les choses. »

D'ailleurs, cela n'a fait que m'effleurer l'esprit. Parole d'honneur, elle m'intéressait pour de bon. Ajoutez à cela que j'étais attendri, prédisposé. Et puis, la ruse fait si facilement bon ménage avec les sentiments.

— Qui dit le contraire ! me suis-je empressé de répondre, tout arrive. Moi, je suis persuadé que quelqu'un t'a fait du mal et que c'est plutôt eux qui sont coupables envers toi que le contraire. Je ne sais rien de ton histoire, mais une jeune fille comme toi ne s'installe certainement pas ici de son plein gré...

— Quelle jeune fille suis-je donc ? a-t-elle murmuré d'une voix à peine audible ; mais moi, j'avais entendu.

« Bon Dieu, mais c'est que je la flatte ! C'est abject. Après tout, c'est peut-être bien... »

Elle ne disait rien.

— Vois-tu, Lisa, je vais te parler de moi. Si, dès l'enfance, j'avais eu un foyer, je ne serais pas ce que je suis aujourd'hui. Je me le dis souvent. On peut y être aussi mal qu'on voudra, on a quand même un père et une mère, et non des ennemis, des étrangers. Même s'ils ne te témoignent d'amour qu'une fois par an. Malgré tout, tu sais que tu es chez toi. Moi, j'ai grandi tout seul ; c'est sans doute pour ça que je suis comme je suis... insensible.

De nouveau, j'ai dû attendre.

« Je parierais qu'elle ne comprend pas, et puis c'est ridicule, cette morale. »

— Si j'étais père et si j'avais une fille, il me semble que je l'aurais aimée plus que mes fils, ma parole ! ai-je commencé par la bande, comme parlant d'autre

chose pour la distraire : je l'avoue, je me sentais
rougir.

— Et pourquoi ça ?

Tiens, c'est donc qu'elle m'écoutait !

— Comme ça, je ne sais pas, Lisa. Vois-tu, j'ai
connu un père, un homme morose et sévère, qui se
mettait à genoux devant sa fille, lui baisait les pieds et
les mains, ne se lassait jamais de la contempler, ma
parole ! Elle va à une soirée, elle danse, et lui, il reste
cinq heures de suite planté comme un piquet, sans la
quitter des yeux. Il en était fou ; je comprends cela. La
nuit, fatiguée, elle s'endort ; lui, il se réveille, et va
l'embrasser et la bénir dans son sommeil ! Il n'a rien
d'autre à se mettre qu'une redingote crasseuse, pour
tout le monde, il n'est qu'un grippe-sou, mais elle, il
se saigne aux quatre veines pour lui faire de riches
cadeaux et quand ils lui plaisent, il est aux anges. Un
père aime toujours mieux sa fille qu'une mère. Il y a
des jeunes filles qui mènent une vie si gaie, chez elles !
Moi, je crois que j'aurais refusé de marier la mienne.

— Comment ça se fait ? m'a-t-elle demandé avec
l'ombre d'un rire.

— J'aurais été jaloux, je t'assure. Enfin ! Comment
pourrait-elle en embrasser un autre ? en aimer un
autre plus que son père ? J'aurais eu de la peine rien
qu'à l'imaginer. Bien sûr, tout ça c'est des bêtises ;
bien sûr, tout le monde finit par devenir raisonnable.
Mais moi, avant de la marier, je me serais rendu
malade de souci : j'aurais répudié tous les préten-
dants. Et j'aurais quand même fini par la remettre à
celui qu'elle aurait aimé. Car c'est toujours celui que
sa fille aime vraiment qui déplaît le plus au père. Ça,
on n'y échappe pas. Et il y a des familles où ça provoque bien des malheurs.

— Il y en a d'autres qui ne demandent pas mieux
que de la vendre, leur fille, et non de la marier hono-
rablement, a-t-elle proféré soudain.

Ah ! c'était donc ça !

— Ça, Lisa, ça arrive dans ces familles maudites
qui ne connaissent ni Dieu ni l'amour, ai-je repris avec

ardeur, et où manque l'amour, le bon sens manque aussi. Des familles comme ça, ça existe, mais ce n'est pas d'elles que je parle. Il faut que tu n'aies guère été heureuse dans la tienne, pour parler ainsi. Tu dois être vraiment malheureuse. Hum... C'est généralement la misère qui entraîne ce genre de choses.

— Vous croyez que c'est mieux chez les seigneurs, des fois ? Les honnêtes gens, même dans la misère, ils savent se conduire.

— Hum... oui. Peut-être. Il y a aussi, Lisa, que les hommes ne tiennent compte que de leurs peines et non de leurs joies. Et s'ils le faisaient comme il faut, leur compte, ils verraient qu'il y en a en réserve pour chaque destinée. Mais si tout va bien dans une famille, si Dieu l'a bénie, si le mari est un homme de bien, s'il t'aime, s'il te choie, ne te quitte pas d'une semelle, comme on est bien, dans une famille comme celle-là ! Quelquefois, c'est en faisant contre mauvaise fortune bon cœur. Et qui le chagrin épargne-t-il ? Si tu te maries un jour, *tu en feras toi-même l'expérience.* Mais en revanche, si l'on ne prend que les premiers temps du mariage avec l'aimé, que de bonheurs il peut vous arriver ! Et à chaque pas. C'est qu'au début, même les querelles se terminent bien. Il y en a même qui, plus elles aiment leur mari, plus elles se chamaillent avec lui. Parole ! J'en ai connu une comme ça : « Voilà, je t'aime beaucoup, semblait-elle dire, et c'est par amour que je te fais souffrir, à toi de le sentir. » Sais-tu qu'on peut faire souffrir les gens exprès, par amour ? Les femmes surtout. Pendant ce temps, elles se disent au fond d'elles-mêmes : « Pour la peine, après, je vais l'aimer si fort, je serai si gentille, que ce n'est pas péché de le tourmenter un peu pour le moment. » Vous faites la joie de toute la maisonnée, c'est bien, c'est gai, c'est paisible, honnête... Il y en a aussi qui sont jalouses. Dès que le mari est sorti — j'en ai connu une comme ça, — elle n'y tient plus, elle court dehors en plein dans le noir pour aller voir s'il n'est pas là-bas, dans cette maison, avec Une-telle. Cela, ça ne va pas. Elle le sait, que cela ne va pas, elle en a le

cœur serré, elle se tourmente, mais elle l'aime ; tout
cela, c'est par amour. Et comme on est bien quand on
se réconcilie après une querelle, qu'on soit à
reconnaître ses torts ou à les pardonner ! Ah, ils se
sentent tout d'un coup si bien, tous les deux, si bien !
à croire que tout recommence, qu'ils viennent de se
rencontrer, de se marier, que leur amour vient de
naître. Et personne, ça alors, personne, ne doit savoir
ce qui se passe entre mari et femme, s'ils s'aiment.
Quelles que soient leurs querelles, il ne faut prendre
personne à témoin, même pas leur propre mère, à qui
l'on raconterait des histoires l'un sur l'autre. Qu'ils
soient eux-mêmes leurs propres juges. L'amour est un
divin mystère qui doit être celé à tous les yeux étrangers quoi qu'il advienne. Il n'en est que plus saint,
plus beau. On ne s'en estime que davantage, et bien
des choses reposent sur l'estime. Du moment que l'on
s'est aimé, du moment qu'on s'est marié par amour,
pourquoi l'amour passerait-il ? Ne peut-on pas l'entre-
tenir ? Les cas où c'est impossible sont très rares.
Alors, si on a eu la chance de tomber sur un homme
honnête et bon, comment l'amour passerait-il ? Oui, le
premier amour, celui des noces, passera, mais ensuite
en viendra un autre encore meilleur. Ce sera l'accord
des âmes, celui où l'on met toutes ses préoccupations
en commun ; on n'aura pas de secrets l'un pour
l'autre. Puis s'il vient des enfants, alors tous les
moments, même les plus durs, seront autant de bonheurs ; il n'y aura qu'à aimer et avoir du courage.
Dans ce cas, on trouve de la gaieté même à travailler,
quelquefois même, on se prive d'un quignon de pain
pour les enfants, mais cela aussi, c'est dans la joie.
Plus tard, ils t'aimeront de l'avoir fait ; c'est donc pour
toi-même que tu amasses ton trésor. Les enfants gran-
dissent, tu sens que tu es leur exemple, que tu es leur
soutien ; que même si tu meurs, ils continueront à
porter en eux tes sentiments et tes pensées car c'est de
toi qu'ils les auront reçus, car ils seront à ton image et
à ta ressemblance. C'est donc un grand devoir.
Comment ne rapprocherait-il pas les parents l'un de

A PROPOS DE NEIGE FONDUE

l'autre ? On dit que les enfants, c'est dur à élever. Qui dit cela ? C'est une bénédiction du ciel ! Est-ce que tu aimes les petits enfants, Lisa ? Moi, je les adore. Tu sais, un petit garçon tout rose qui tèterait ton sein ? Mais quel mari en voudrait encore à sa femme en la voyant son enfant dans les bras ? Un petit enfant tout rose, dodu, bras et jambes étalés, lui faisant des câlins ; des petons et des menottes potelés, des ongles bien propres, minuscules, tellement minuscules que c'en serait à rire, et ses petits yeux ont déjà l'air de tout comprendre. En prenant le sein, il te le tiraille de la menotte, il joue. Le père approche, l'enfant lâche le sein, se cambre des pieds à la tête, le regarde et se met à rire — comme si c'était vraiment très drôle, — puis se remet à téter. Parfois, si ça le prend, s'il fait ses dents, il mordille sa mère et la regarde en coulisse : « Tu vois, je t'ai mordue ! » N'est-ce pas là le bonheur, d'être ainsi à trois ensemble, le mari, la femme et l'enfant. Pour des moments pareils, on peut beaucoup pardonner. Non, Lisa il faut d'abord apprendre à vivre soi-même, et n'accuser les autres qu'ensuite.

« C'est par de jolies images comme celle-là qu'il faut te prendre ! me suis-je dit, et pourtant, je vous assure, j'avais parlé avec flamme ; subitement, j'en ai rougi. — Et si elle me rit au nez, où me fourrer, alors ? »

Cette idée m'a rendu furieux. Vers la fin de mon discours, je m'étais réellement laissé emporter et maintenant, mon amour-propre souffrait. Le silence s'éternisait. J'ai même failli lui envoyer un coup de coude.

— Qu'est-ce que vous... a-t-elle commencé ; puis elle s'est arrêtée net.

Mais déjà, j'avais tout compris : une autre note frémissait dans sa voix, quelque chose qui n'était ni rude, ni grossier, ni inflexible, mais doux et pudique, tellement pudique que c'est moi qui me suis senti gêné devant elle.

— Quoi ? lui ai-je demandé avec une curiosité empreinte de tendresse.

— Mais vous...

— Quoi ?

— Qu'est-ce que vous... vous parlez comme un livre, a-t-elle dit, et j'ai retrouvé dans sa voix sa petite note railleuse.

Cette remarque m'a douloureusement pincé le cœur. Ce n'était pas cela que j'attendais.

Je n'avais pas compris qu'ici la raillerie était un masque, qu'elle le faisait exprès, que c'est le dernier subterfuge des cœurs pudiques et purs que l'on prétend importuner, violer, qui résistent jusqu'à la dernière minute par fierté, pour ne pas vous livrer leurs sentiments. Rien qu'au manque de hardiesse — elle s'y était reprise à plusieurs fois — avec lequel elle raillait, j'aurais dû le deviner. Mais je n'ai rien deviné du tout et un méchant sentiment s'est emparé de moi.

« Attends un peu », me suis-je dit.

VII

— Quelle idée, Lisa, il s'agit bien de livres quand je suis moi-même dégoûté, bien que tout cela me soit étranger. Pas si étranger que cela, d'ailleurs. Tout ce qui vient de se réveiller dans mon cœur !... Se peut-il vraiment que cela ne te dégoûte pas d'être ici ? Non, il faut croire que l'habitude, c'est quelque chose ! Le diable sait ce que l'habitude peut faire d'un être humain. Crois-tu sérieusement que tu ne vieilliras jamais, que tu seras toujours jolie et qu'on te gardera éternellement ici ? Sans parler de ce que cette vie a d'infâme... D'ailleurs, voici ce que je voudrais t'en dire, de la vie que tu mènes : tu as beau être jeune, gentille, jolie, avoir du cœur, être sensible, sais-tu que tout à l'heure, en me réveillant et en me voyant ici, à tes côtés, j'ai senti mon cœur se soulever de dégoût ? On ne prend le chemin de cette maison qu'en état d'ivresse. Tandis que si tu étais ailleurs, si tu menais une vie honnête, peut-être que, mieux que rechercher tes faveurs, je serais bel et bien tombé amoureux de toi, qu'un regard de toi — pour ne pas dire une parole — aurait suffi à faire mon bonheur ; je t'aurais guettée à la porte, j'aurais passé des heures à tes genoux ; je t'aurais considérée comme ma fiancée, et encore, je m'en serait fait un honneur. Jamais je n'aurais osé penser de toi des choses impures. Tandis qu'ici, je le sais parfaitement, il me suffit de te siffler, que tu le veuilles ou non, tu me suivras et ce n'est plus moi qui dépendrai de ta volonté, mais toi de la mienne. Quand le dernier des moujiks se loue à un patron, ce n'est pas sa personne tout entière qu'il asservit, et puis, il sait que ça n'est que pour un temps. Mais quel est ton temps à toi ? Réfléchis un peu : qu'est-ce que tu abandonnes, ici ? qu'est-ce que tu asservis ? Ton âme, ton âme qui ne t'appartient pas et que tu vends avec ton corps. Ton amour que tu laisses profaner par le premier ivrogne venu. Ton amour — mais l'amour, c'est tout, c'est un diamant, le trésor d'une jeune fille. Mais pour mériter un pareil amour, il y a des gens qui donneraient leur âme, qui iraient au-devant de la mort. Et qu'est-ce qu'il vaut, ton amour, maintenant ? Tu t'es entièrement vendue, des pieds à la tête, alors à quoi bon rechercher ton amour quand tout est permis sans qu'on s'en embarrasse ? Mais ne comprends-tu pas qu'il n'y a pas pire offense pour une jeune fille ? J'ai entendu dire que pour vous divertir, pauvres sottes, on vous permettait de recevoir vos amants. Mais cela n'est qu'amusettes, tromperie, c'est se moquer de vous, et vous, vous y croyez. Crois-tu qu'il t'aime pour de bon, ton amant ? Moi, je n'en crois rien. Comment peut-il t'aimer, quand il sait qu'il suffit qu'on te siffle pour que tu doives le quitter. Puisqu'il l'accepte, ce n'est qu'un goujat. A-t-il une miette d'estime pour toi ? Qu'avez-vous de commun ? Il se moque de toi et il te vole — et voilà tout son amour. Encore heureux s'il ne te bat pas. Mais après tout, peut-être qu'il te bat. Si tu en as un, demande-lui donc s'il t'épouserait. Il te rira au nez, à moins qu'il ne te crache ou ne te tape dessus, lui qui ne vaut peut-

être pas deux rouges liards. Et au nom de quoi
crois-tu avoir ruiné ta vie, ici ? Pour qu'on te serve du
café et qu'on te nourrisse à volonté ? Une autre, une
fille honnête, ce pain-là lui resterait en travers de la
gorge, parce qu'elle sait pourquoi on la nourrit. Tu
t'es endettée et tu n'en sortiras pas, jusqu'à la fin des
fins, jusqu'au moment où les clients ne voudront plus
de toi. Et cela viendra vite, ne compte pas sur ta jeunesse. Tout cela court la poste. Alors, on te jettera
dehors. Et cela ne se passera pas si simplement : longtemps d'avance Madame commencera à te chicaner, à
te faire des reproches, à te traiter de tous les noms,
comme si ce n'était pas toi qui lui avais sacrifié ta
santé, ta jeunesse et ton âme pour rien, mais elle que
tu avais ruinée, réduite à tendre la main, volée. N'attends aucun soutien : tes camarades te tomberont
dessus pour lui complaire, parce qu'ici, tout le monde
est réduit en esclavage et a depuis longtemps perdu
conscience et pitié. Elles sont tombées très bas, il n'y
a pas d'injures plus abjectes, plus basses, plus humi-
liantes sur terre que les leurs. Tu laisseras tout ici, et
sans réserve : ta santé, ta jeunesse, ta beauté, tes
espoirs ; à vingt-deux ans, tu en paraîtras trente-cinq,
encore heureux si tu n'es pas malade, pries-en le bon
Dieu. Je parierais que tu ne considères pas cela
comme un travail : on fait la noce ! Mais il n'y a pas et
il n'y aura jamais pire travail au monde, c'est pire que
le bagne. Il y aurait de quoi épuiser son cœur en
larmes. Et tu n'oseras pas dire un mot, pas une syllabe
quand tu partiras d'ici, tu t'en iras comme une coupable. Tu passeras dans une autre maison, puis une
troisième, puis encore ailleurs et tu finiras par échouer
place Sennaïa. Et là-bas, entre autres amabilités, on te
battra ; c'est ça, leurs bonnes manières là-bas ; là-bas,
la clientèle est incapable de te caresser avant de t'avoir
battue. Tu ne crois pas qu'on y est aussi odieux ?
Vas-y donc, un jour, tu t'en convaincras de tes propres yeux, peut-être. J'y ai vu une fille devant la porte,
une fois, au Jour de l'an. Ses propres camarades
l'avaient jetée dehors pour rire, pour qu'elle se rafraî-

chisse un peu les idées, parce qu'elle chialait vraiment trop ; puis elles ont fermé la porte à clé derrière elle. Il n'était que neuf heures du matin et elle était déjà complètement soûle, échevelée, à moitié nue, couverte de horions. La figure enfarinée de poudre, les yeux au beurre noir ; elle saignait du nez et des gencives : c'était un cocher qui venait de l'arranger comme ça. Elle s'est assise sur l'escalier de pierre, un poisson salé entre les doigts ; elle pleurait à gros bouillons, débitait je ne sais quelle litanie sur sa « desteunée » et frappait les marches de son poisson salé. Des cochers et des soldats ivres, attroupés près du perron l'excitaient à qui mieux mieux ! Tu ne veux pas croire que tu deviendras comme elle ? Moi aussi, je voudrais ne pas le croire, mais qui te dit qu'il y a huit ou dix ans, cette même fille au poisson salé n'est pas arrivée de son village fraîche comme un chérubin, innocente, pure ; elle ne connaissait pas le mal et rougissait à chaque mot. Peut-être était-elle comme toi, fière, susceptible, différente des autres, avec des airs de princesse, et persuadée qu'un bonheur véritable attendait celui qui l'aimerait et qu'elle aimerait. Tu vois comment cela a fini ? Et si, au moment même où, soûle et échevelée, elle frappait les marches boueuses de l'escalier avec son poisson salé, et si à ce moment-là, elle a revu son passé, les pures années vécues sous le toit paternel, celles où, encore écolière, le fils des voisins la guettait sur la route, l'assurait qu'il l'aimerait toute la vie, qu'il remettrait son sort entre ses mains, et où ils se sont promis de s'aimer pour l'éternité, de se marier quand ils seraient grands ? Non, Lisa, ce serait un bonheur, oui un vrai bonheur pour toi de mourir le plus vite possible, de la poitrine, comme l'autre, quelque part dans un coin, dans un sous-sol. A l'hôpital, dis-tu ? Bon : si on t'y emmène ; mais si la patronne a encore besoin de toi ? La phtisie, c'est comme ça, ce n'est pas comme la fièvre chaude[38]. On espère jusqu'aux derniers instants et on se prétend en bonne santé. On se trompe soi-même. Et la patronne, ça l'arrange. Ne t'inquiète pas, c'est comme ça : tu as vendu ton âme,

en plus tu lui dois de l'argent, alors tu n'as pas le droit
d'ouvrir la bouche. Et quand tu seras mourante, tout
le monde t'abandonnera, se détournera de toi, car que
te restera-t-il à donner, alors ? On te reprochera d'oc-
cuper une place pour rien, de ne pas mourir assez vite.
C'est tout juste si on te donnera à boire, et encore, en
te couvrant d'injures : « Quand donc crèveras-tu,
salope, te diront-ils ; tu nous empêches de dormir, tu
geins, tu dégoûtes les clients. » C'est vrai ; je l'ai
entendu de mes propres oreilles. On te fourrera, en
train de crever, dans le coin le plus puant du sous-sol
— pas de lumière, l'humidité ; quelles idées remue-
ras-tu, couchée là, toute seule ? Quand tu seras morte,
on te fera expédier en vitesse par des mains étran-
gères, en grommelant d'impatience, personne ne
viendra te bénir, soupirer après toi, le principal sera de
déblayer la place. On achètera un cercueil grossier[39],
on t'emportera, comme la malheureuse de tantôt et
l'on ira boire un coup à ta mémoire au cabaret. Ta
fosse sera pleine de boue, d'ordures, de neige fondue
— pourquoi prendre des gants avec toi ? « Des-
cends-la, l'Ivan ; même là, sa "desteunée" est de partir
les jambes en l'air, c'est comme ça. Tends donc ta
corde, galapiat ! » — « Ça ira comme ça. » — « Quoi,
ça ira ? Tu vois pas qu'il s'est posé de chant ? C'était
quand même un être humain, non ? Enfin, ça ira,
comble-moi ça. » Ils ne voudront même pas se dis-
puter trop longtemps à cause de toi. Ils combleront la
fosse à la va-vite avec de la terre humide et bleue et
s'en iront au cabaret... Et c'en sera fait de ton souvenir sur terre ; les autres, leurs enfants viennent sur
leur tombe, leurs pères, leurs maris, toi, tu n'auras ni
une larme, ni un soupir, ni une prière, et personne,
non personne, jamais, dans le monde entier ne viendra
te voir ; ton nom disparaîtra de la surface de la terre,
comme si tu n'avais jamais existé, si tu n'étais jamais
née ! De la boue, un marais, tu peux toujours frapper
contre le couvercle de ton cercueil la nuit, quand les
morts se lèvent : « Laissez-moi revenir au jour et vivre,
bonnes gens ! J'ai vécu sans rien voir de la vie, ma vie

est partie en guenille ; on l'a bue dans un cabaret de la place Sennaïa ; laissez-moi revenir au jour, bonnes gens !... »

J'avais atteint à un tel pathos que j'ai senti ma gorge se nouer et... je me suis arrêté net, je me suis soulevé de terreur et, penchant craintivement la tête, le cœur battant, j'ai tendu l'oreille. Il y avait de quoi être troublé.

Depuis un bon moment, je pressentais que je lui avais chaviré l'âme et brisé le cœur, et plus j'en étais convaincu, plus le désir d'atteindre mon but et de frapper le plus fort possible montait en moi. C'était le jeu, oui, le jeu qui m'entraînait ; d'ailleurs, pas lui seul...

Je savais que mon discours était lourd, contourné, livresque même, je ne savais pas m'y prendre autrement que « comme un livre ». Mais cela ne me troublait guère ; je savais, je pressentais qu'on me comprendrait et que ce ton livresque même pourrait étayer mon entreprise. Et maintenant que le but était atteint, je lâchais pied. Non, jamais encore je n'avais été témoin d'un pareil désespoir ! Elle était allongée, la figure profondément enfouie dans son oreiller qu'elle serrait à deux mains. Ses sanglots lui déchiraient la poitrine. Son jeune corps tout entier frémissait comme pris de convulsions. Les pleurs amassés dans son sein l'oppressaient, le déchiraient et éclataient soudain en cris, en hurlements. Alors, elle serrait encore plus étroitement son oreiller : elle voulait que personne, ici, pas une âme, n'apprenne ses tourments et ses larmes. Elle mordait son oreiller (elle s'était mordu le bras jusqu'au sang, je l'ai constaté plus tard), ou les doigts crispés dans ses tresses défaites, elle demeurait figée par l'effort, retenant sa respiration et les dents serrées. J'ai voulu lui parler, la prier de se calmer, mais j'ai senti que je n'osais pas et subitement, frissonnant moi-même des pieds à la tête, plongé dans une sorte d'horreur, je me suis précipité à tâtons à la recherche de mes vêtements pour m'en aller d'ici. Il faisait nuit noire : malgré mes efforts, ce n'était pas rapide. Mes doigts sont tombés sur une boîte d'allumettes et un chandelier avec une chandelle neuve. A peine la lumière a-t-elle éclairé la pièce, que Lisa s'est assise en sursaut et a levé les yeux sur moi avec une sorte de grimace, un sourire à moitié fou, un air hébété. Je me suis assis près d'elle et lui ai pris les mains ; elle est revenue à elle, s'est élancée vers moi, a voulu m'entourer de ses bras, mais n'a pas osé et a doucement baissé la tête.

— Lisa, mon amie, j'ai eu tort... je te demande pardon — ai-je commencé, mais elle a serré mes mains entre ses doigts avec une telle force que j'ai compris. Mes paroles tombaient à faux ; je me suis tu.

— Voici mon adresse, Lisa, viens me voir.

— Je viendrai... a-t-elle murmuré d'une voix décidée, toujours sans relever la tête.

— A présent, je m'en vais, adieu... au revoir.

Je me suis levé, elle aussi : puis elle a rougi soudain, frémi, saisi un châle sur une chaise, l'a jeté sur ses épaules et serré jusqu'au menton. Cela fait, une sorte de sourire de souffrance a repassé sur ses traits, elle a rougi et m'a regardé d'un air bizarre. J'avais mal ; j'avais hâte de m'en aller, de me fondre dans la nuit.

— Attendez, a-t-elle dit tout à coup, alors que nous étions déjà dans l'entrée près de la porte, en posant la main sur mon manteau ; elle s'est débarrassée hâtivement du chandelier et s'est sauvée : elle s'était sans doute rappelé quelque chose qu'elle voulait me montrer. Avant de se sauver, elle avait rougi, ses yeux brillaient, ses lèvres souriaient ; qu'est-ce que cela pouvait bien être ? Malgré moi, je l'ai attendue ; elle est revenue au bout d'un instant, son regard semblait implorer mon pardon. En général, ce n'était plus le même visage, le même regard qu'avant — morose, défiant, obstiné. A présent, on y lisait la prière, la douceur et aussi la confiance, la tendresse, la timidité. C'est ainsi que les enfants regardent ceux qu'ils aiment beaucoup et à qui ils veulent demander quelque chose. Elle avait des yeux noisette, de très beaux yeux, des yeux vivants qui savaient refléter et l'amour et une haine sombre.

Sans rien m'expliquer — comme si j'étais quelque être supérieur qui devait tout savoir sans explication, — elle m'a tendu un papier. Son visage s'est alors illuminé d'un triomphe infiniment naïf, presque puéril. J'ai déplié le papier. C'était une lettre, d'un étudiant en médecine, je crois : une déclaration d'amour pleine de grands mots et de fleurs de rhétorique, mais extrêmement respectueuse. Je ne m'en rappelle plus exactement les termes, mais je me souviens qu'à travers la grandiloquence du style transparaissait un sentiment sincère, de ceux que l'on n'imite pas. Ma lecture terminée, j'ai croisé le regard ardent, curieux, plein d'impatience enfantine qu'elle fixait sur moi. Ses yeux étaient rivés à mon visage, elle attendait fébrilement ce que je lui dirais. En quelques mots rapides, mais avec une sorte de joie, une sorte de fierté, elle m'a expliqué qu'elle était allée à une soirée dansante, dans une famille, « chez des gens très, très bien qui *vivaient en famille* et qui *ne savaient encore rien*, absolument rien », parce qu'ici aussi, voyez-vous, elle était encore nouvelle et seulement en passant... qu'elle n'avait pas encore décidé de rester, qu'elle partirait sans faute dès qu'elle aurait payé ses dettes... » Alors, là-bas, il y avait cet étudiant, ils avaient dansé toute la soirée, ils avaient causé et découvert qu'ils s'étaient connus à Riga, quand ils étaient enfants, qu'ils avaient joué ensemble, mais c'était il y a très longtemps ; il connaissait aussi ses parents, mais *ça*, il n'en savait rien, rien, rien du tout et n'avait aucun soupçon. Et voilà, le lendemain du bal (c'était il y a trois jours) il lui avait fait remettre cette lettre par l'amie avec laquelle elle y était allée... et... alors, c'était tout.

Son récit une fois terminé, elle a baissé ses yeux étincelants avec une sorte de pudeur.

La pauvre petite conservait la lettre de l'étudiant comme un objet précieux, un unique trésor qu'elle avait couru chercher parce qu'elle ne voulait pas que

je m'en aille sans savoir qu'on l'aimait d'amour honnête et sincère et qu'elle aussi, on lui parlait avec respect. Cette lettre était certainement vouée à demeurer
sans suite, au fond d'un coffret. Mais n'importe : je
suis sûr qu'elle l'aurait conservée toute la vie comme
un objet précieux, un objet de fierté, comme sa justi-
fication ; en cette minute particulière, elle s'en était
souvenue d'elle-même et me l'avait apportée pour en
faire naïvement parade devant moi, se réhabiliter à
mes yeux, pour que moi aussi, je l'aie vue et que je lui
en fasse compliment. Je ne lui ai rien dit, je lui ai serré
la main et je suis parti. J'avais tellement envie de m'en
aller... J'ai refait tout le chemin à pied, malgré la neige
molle qui se déversait toujours en gros flocons. J'étais
exténué, écrasé, stupéfait. Mais déjà la réalité perçait
derrière cette stupéfaction. Une réalité abjecte.

                              VIII

   Cette réalité, d'ailleurs, je n'ai pas consenti à l'admettre tout de suite. Le lendemain, quand je me suis
réveillé après quelques heures d'un sommeil profond,
d'un sommeil de plomb, la journée de la veille m'est
revenue d'emblée et je me suis même étonné de ma
sentimentalité à l'égard de Lisa, de toutes ces « terreurs
et pitiés de la veille ». Faut-il qu'il vous prenne ainsi
des énervements de femmellette ! « Pouah ! ai-je
tranché. Et pour quelle raison lui ai-je refilé mon
adresse ? Si elle venait, hein ? Bah ! dans le fond,
qu'elle vienne ! Ça n'a pas d'importance... » Mais *de
toute évidence*, le plus important, l'essentiel n'était pas
là : il fallait me dépêcher d'aller sauver ma réputation
aux yeux de Zverkov et de Simonov. C'était cela, le
principal. Lisa, au milieu des soucis de cette matinée,
je l'avais complètement oubliée.
   Avant tout, il fallait sans plus tarder payer à
Simonov ma dette de la veille. Je décidai de recourir à

un moyen désespéré : emprunter la somme folle de quinze roubles à Anton Antonytch. Comme par un fait exprès, il était ce matin-là dans d'excellentes dispositions et me les donna à peine avais-je ouvert la bouche. J'en fus si heureux qu'en signant mon reçu, je lui dis d'un air gaillard, *négligent,* qu'hier « j'avais fait la bringue avec des amis à l'*Hôtel de Paris*★ ; c'étaient nos adieux à un camarade, je peux même dire un ami d'enfance et vous savez, c'est un terrible noceur, un enfant gâté, hein ! d'une excellente famille, bien entendu, grosse fortune, carrière brillante, spirituel, aimable, nouant des intrigues avec les dames, vous comprenez ; nous avons vidé une "demi-douzaine" de bouteilles de trop et... » Et ça pouvait aller ; tout cela avait été dit avec beaucoup de légèreté, de désinvolture, de suffisance.

Aussitôt rentré, j'écrivis à Simonov.

Aujourd'hui encore, j'évoque avec plaisir le ton bon enfant, ouvert de ma lettre, un ton de véritable gentleman. D'une manière habile et distinguée, mais surtout laconique, je prenais tous les torts pour moi. Je me justifiais « si toutefois j'ai encore le droit de me justifier », en l'assurant que, totalement inhabitué aux boissons fortes, je m'étais retrouvé ivre dès le premier petit verre que j'avais soi-disant consommé avant leur arrivée, entre cinq et six, alors que je les attendais à l'*Hôtel de Paris*★. C'était surtout à lui, Simonov, que j'adressais mes excuses ; je le priais, par ailleurs, de faire part de mes raisons aux autres, surtout à Zverkov que, « croyais-je me souvenir comme dans un rêve », je pensais avoir offensé. J'ajoutais que j'aurais fait personnellement la tournée des convives, mais que j'avais mal à la tête et que, par-dessus tout, j'avais honte. J'étais particulièrement satisfait de cet « air de légèreté », presque de désinvolture (d'ailleurs, tout à fait convenable) qui se reflétait soudain sous ma plume et qui, mieux que tout autre raison, leur donnait spontanément à entendre que je considérais « mon odieuse conduite de la veille » avec quelque détachement ; je ne suis vraiment pas du tout, quand même pas du tout

effondré comme vous vous l'imaginez sans doute,
messieurs, mais au contraire, je considère les choses
comme il convient à un gentleman nourri d'un paisible respect envers lui-même. « A passé de luron
point de reproche », autrement dit.

— Et même un enjouement digne d'un marquis,
n'est-ce pas ? me plaisais-je à constater en relisant
mon billet. Tout cela parce que je suis un homme
cultivé, instruit ! D'autres, à ma place, n'auraient pas
su s'en dépêtrer, mais moi, hein, je m'en suis sorti et
maintenant, je me paye du bon temps, et tout ça,
parce que je suis « un homme instruit et cultivé de
notre époque ». Et puis, c'est vrai, ma foi, tout ce qui
est arrivé hier, c'est la faute de la boisson. Hum... ça
non, la boisson n'y était pour rien. Je n'ai pas avalé
une goutte de vodka entre cinq et six, au moment où
je les attendais. J'ai menti à Simonov, menti sans vergogne ; d'ailleurs, en ce moment aussi, pour ce qui est
de la vergogne...

Ah, et puis dans le fond, je crache dessus ! Le principal, c'est d'en avoir fini avec cette histoire.

Je glissai six roubles dans la lettre, la cachetai et
réussis à convaincre Apollon d'aller la porter chez
Simonov. En apprenant que la lettre contenait de l'argent, Apollon se fit plus respectueux et daigna se
charger de la course. Vers le soir, j'allai faire un tour.
De la veille, je gardais encore la migraine et des étour-
dissements. Mais plus le soir tombait, plus les ténèbres devenaient épaisses, plus mes impressions chan-
geaient et se mêlaient, et à leur suite mes pensées.
Quelque chose refusait de mourir au fond de moi, en
mon âme et conscience, et se révélait par une brûlante
angoisse. Je déambulai surtout par les rues les plus
fréquentées, les plus commerçantes, les boulevards
Mechtchanski, la rue Sadovaïa, le jardin Youssoupov.
J'ai toujours aimé me promener le long de ces rues au
crépuscule, justement lorsqu'y devient plus dense la
foule des passants de toute espèce, gens de négoce et
de métier, rentrant chez eux après le travail de la
journée, le visage tout rageur de soucis. Ce qui me

plaisait particulièrement, c'était cette agitation de trois sous, cet impertinent prosaïsme. Mais cette fois, la bousculade de la rue ne fit que m'agacer davantage. Je ne venais pas à bout de moi-même, je n'arrivais pas à démêler l'écheveau. Quelque chose bouillonnait sans cesse dans mon cœur, quelque chose qui me faisait mal et refusait de se calmer. Je rentrai chez moi très contrarié. On aurait dit que j'avais un crime sur la conscience.

La pensée que Lisa allait venir ne cessait de me tourmenter. Chose étrange, de tous les souvenirs de la veille, le sien me tourmentait d'une façon particulière, tout à fait à part. Vers le soir, j'avais réussi à oublier tout le reste, — j'avais mis la croix dessus — et même à rester très satisfait de ma lettre à Simonov. Mais là, quelque chose péchait. Exactement comme si Lisa avait été l'unique cause de mon tourment. « Et si elle venait ? me disais-je sans cesse. Eh bien quoi ? quelle importance ? Qu'elle vienne ! Hum ! Ce qui ne va déjà pas, c'est qu'elle verra comment je vis. Hier, elle m'a pris pour un... héros... tandis que maintenant... heu... D'ailleurs, j'ai eu tort de me laisser aller ainsi. Mon logement pue tout bonnement la misère. Et dire que je me suis décidé à aller à ce dîner, hier, vêtu comme je l'étais ! Et mon divan de moleskine qui perd ses crins ! Et ma robe de chambre qui ne cache plus rien du tout ! Une guenille... Elle verra tout cela ; elle verra aussi Apollon. Cette brute va lui manquer de respect, c'est sûr. Il s'en prendra à elle pour me faire une mauvaise manière à moi. Et moi, bien entendu, comme d'habitude, je lâcherai pied, je partirai à petits pas devant elle en ramenant les pans de ma robe de chambre, et je te souris ! et je te mens ! Pouah, quelle abjection ! Et ce n'est pas cela, l'abjection essentielle. Il y a quelque chose de plus essentiel encore, de plus ignoble, oui, de plus ignoble ! Ah ! et revêtir encore, revêtir une fois de plus ce masque déshonorant, mensonger !... »

Arrivé là, je sentis le rouge de la honte me monter au front.

« Pourquoi déshonorant ? Quelle honte y a-t-il ?
Mes propos d'hier étaient sincères. Je m'en souviens,
mes sentiments étaient aussi véritables que ceux de
Lisa. Je voulais justement éveiller en elle de nobles
sentiments... Qu'elle ait pleuré, mais c'est très bien,
cela aura une action bénéfique... » Et pourtant, je n'arrivais pas à trouver la paix.

Je suis rentré. Et toute la soirée, même après neuf
heures, alors que, selon toute probabilité, elle ne
pouvait plus venir, je l'ai revue ; le plus remarquable,
c'est que je la voyais toujours dans la même attitude.
Dans tout ce qui s'était déroulé la veille, il y avait
un moment qui repassait devant mes yeux avec
une acuité particulière : celui où j'avais gratté l'al-
lumette et aperçu son visage blême, déformé, son
regard de martyre. Quel sourire pitoyable, faux, gri-
maçant elle avait eu ! Je ne savais pas alors, que
quinze ans plus tard, je la reverrais encore et quand
même, avec ce sourire pitoyable, grimacier, inutile —
justement lui.

Le lendemain, j'étais de nouveau prêt à considérer
tout cela comme des bêtises, le fruit d'une exaltation
nerveuse, et surtout à me dire que j'exagérais. Je
m'étais toujours connu ce point faible ; parfois, il me
terrifiait : « il faut toujours que j'exagère, c'est là que
le bât me blesse », me répétais-je d'heure en heure.
Mais dans le fond, « dans le fond, je crois que Lisa
va venir » ; c'était là le refrain qui concluait tous mes
raisonnements. J'étais tellement inquiet que, par
moments, j'entrais dans des accès de fureur. « Elle va
venir, elle viendra sans faute, m'exclamais-je en trot-
tant en rond dans ma chambre, si ce n'est pas
aujourd'hui, ce sera demain, mais elle saura bien me
retrouver ! Parce que c'est comme cela, le maudit
romantisme des *cœurs purs* ! O bassesse, ô bêtise, ô
médiocrité de ces « vilaines âmes sentimentales » !
Comment ne pas le comprendre, hein ? On se
demande comment on peut ne pas comprendre
cela !... » Mais là, je m'arrêtais de moi-même, et
même joliment troublé.

« Et comme ils sont minces, les mots — me disais-je en passant — comme elle est mince l'idylle (et encore, une idylle de commande, livresque, fabriquée), qu'il m'a fallu pour retourner en un rien de temps une âme humaine comme il me plaisait. Ça, c'est une virginité ! Ça, c'est un terrain neuf ! »

Parfois, l'idée me venait d'aller la voir moi-même, de « tout lui raconter » et de la supplier de ne pas se présenter chez moi. Mais alors, une telle colère s'emparait de moi que je l'aurais étouffée, je crois, cette Lisa maudite si elle s'était par hasard trouvée à mes côtés, je l'aurais insultée, couverte de crachats, chassée, frappée.

Cependant, une journée est passée, une autre, puis une troisième : elle ne venait pas et je commençais à me sentir plus tranquille. Je reprenais surtout courage et retrouvais ma bonne humeur après neuf heures ; parfois même, je me mettais à rêver, non sans délices. Par exemple : « je sauve Lisa justement parce qu'elle me rend visite et que je lui parle... Je développe son esprit, je fais son éducation. Je finis par m'apercevoir qu'elle m'aime, qu'elle m'aime passionnément. Je fais semblant de ne pas comprendre (je ne sais pas pourquoi, dans le fond ; pour que ça soit plus beau, sans doute). Finalement, toute confuse, très belle, tremblante, en larmes, elle se jette à mes pieds et me dit que je suis son sauveur et qu'elle m'aime plus que tout au monde. Je suis stupéfait, mais... « Lisa, lui-dis-je, crois-tu vraiment que je n'ai pas remarqué ton amour ? J'ai tout vu, tout deviné, mais je n'osais pas me déclarer le premier, car tu étais sous mon influence et je redoutais que tu t'astreignes à répondre à mon amour par gratitude, que tu forces en toi un sentiment qui n'existe peut-être pas, et cela, je ne le voulais pas parce que c'eût été... du despotisme... un manque de tact (bref, en un mot, je m'emberlificotais dans une finesse ineffablement européenne, à la George Sand...). Mais maintenant, ah ! maintenant, tu es à moi, tu es ma créature, tu es pure, tu es belle, tu es ma merveilleuse épouse. »

Et dans ma maison, entre hardiment,
Entre librement, en maîtresse absolue[40] *!*

« Ensuite commence une vie de félicité, nous partons en voyage à l'étranger, et ainsi de suite, et ainsi de suite. » Bref, j'en arrivais à me dégoûter moi-même et finissais par me tirer la langue.

D'ailleurs, ils ne la laisseront pas venir, la « salope », me disais-je. Je crois qu'on ne leur permet pas tant que ça de sortir, et à plus forte raison le soir (je ne sais pourquoi je voulais à toute force, si elle venait, que ce fût le soir et justement à sept heures). Après tout, elle m'avait dit qu'elle ne s'était pas encore définitivement remise entre leurs mains, qu'elle jouissait de conditions particulières, donc que... « Hum ! Nom de nom ! elle allait venir ! elle viendrait sans faute ! »

Heureux encore qu'à ces moments-là, Apollon me distrayait par ses insolences. Il me faisait littéralement sortir de mes gonds. Il était ma plaie, le fléau que m'avait envoyé la Providence. Cela faisait déjà plusieurs années que nous nous livrions d'incessantes escarmouches et je le détestais. Dieu, comme je le détestais : Je crois que je n'ai jamais détesté personne autant que lui, surtout à certains moments. C'était un homme âgé, grave, qui exerçait partiellement le métier de tailleur. Mais je ne sais pourquoi, il me méprisait, et même au-delà de toute mesure, et me regardait de très haut. Dans le fond, il regardait tout le monde de haut. Il suffisait de voir cette tête filasse aux cheveux toujours lissés, surmontés d'une coque graissée à l'huile de table qu'il se faisait bouffer sur le front, cette bouche sévère, toujours serrée en cul de poule, pour se sentir en présence d'un être qui ne doutait jamais de lui-même. C'était, à l'ultime degré, un prétentieux, le plus énorme prétentieux de tous ceux que j'avais rencontrés sur terre ; ajoutez à cela un amour-propre digne d'Alexandre de Macédoine en personne. Il était amoureux du moindre bouton de ses vêtements, de chacun de ses ongles — amoureux, c'est bien le terme, c'est de cela qu'il avait l'air. Il me traitait en véritable despote, ne m'adressait presque pas la parole, et s'il lui arrivait de lever les yeux sur moi, c'était d'un regard ferme, majestueux, sûr de lui et constamment ironique qui me faisait fulminer. Il s'acquittait de son service comme s'il m'eût octroyé une faveur souveraine. D'ailleurs, il ne faisait presque rien pour moi et même il ne se considérait pas le moins du monde comme tenu de faire quoi que ce soit. Il n'y avait aucune doute : il me tenait pour le dernier des imbéciles, et s'il « me gardait auprès de sa personne », c'était uniquement parce qu'il avait chaque mois, des gages à toucher. Il acceptait de « ne rien faire » chez moi pour sept roubles par mois. Bien des péchés me seront remis à cause de lui. Parfois, j'en arrivais à une telle haine que le bruit de ses pas suffisait à me mettre en transes. Mais ce qui me dégoûtait le plus, c'est qu'il chuintait. Il avait la langue un peu plus longue que nature ou quelque chose dans ce genre, de sorte qu'il chuintait et zézayait sans arrêt et en était, je crois, terriblement fier, imaginant que cela lui conférait une excessive dignité. Il parlait doucement, d'une voix égale, les bras croisés derrière le dos et les yeux fichés en terre. Il me mettait particulièrement hors de moi lorsqu'il se mettait à dire son psautier derrière sa cloison. Ce que ces lectures ont pu me valoir de batailles ! Mais il adorait faire cela, le soir, d'une voix égale et sourde, chantonnante, comme une litanie des morts. Le plus curieux, c'est que c'est comme ça qu'il a fini : maintenant, il gagne sa vie en allant dire les psaumes à la mémoire des défunts ; de plus, il détruit les rats et fabrique du cirage. Mais à l'époque, je ne pouvais pas le chasser, à croire qu'il était chimiquement lié à mon existence. En outre, il n'aurait consenti à me quitter pour rien au monde. Je ne pouvais pas aller vivre en *garni**, mon logement était mon hôtel particulier, la coquille, l'étui dans lequel je fuyais l'humanité entière, et, bon sang ! je me demande bien pourquoi, mais il me semblait qu'Apollon faisait partie intégrante de ce logement dont, sept années de rang, j'ai été incapable de le chasser.

Par exemple, il m'était impossible de retarder le ver-

sement de ses gages quand ça ne serait que de deux
ou trois jours. Il m'aurait fait une telle histoire que je
n'aurais plus su où me fourrer. Mais ces jours-ci,
j'étais dans une telle rage contre l'humanité entière,
que je décidai — pourquoi ? dans quel but ? — de
punir Apollon en retardant son paiement de deux
semaines. Cela faisait longtemps, près de deux ans,
que je voulais le faire, uniquement pour lui prouver
que je lui interdisais bien de faire ainsi l'important à
mes dépens et que je n'avais qu'à le vouloir pour ne
pas lui donner ses gages. J'avais décidé de ne pas lui
en parler et même de me taire exprès pour rabattre
son orgueil et l'obliger à parler de ses gages le premier.
Alors, je sortirais les sept roubles au grand complet de
leur tiroir, je lui montrerais que je les possède, que je
les ai mis de côté exprès, mais que « je ne veux pas, je
ne veux tout simplement pas lui payer ses gages, que
je ne le veux pas parce que *je le veux ainsi*, parce que
« tel est mon bon plaisir », parce qu'il n'est pas assez
respectueux, parce que c'est un grossier personnage ;
mais que s'il me les demande respectueusement, je me
laisserai peut-être attendrir ; sinon, il attendrait encore
deux semaines de plus, trois semaines, un mois
entier...
    Mais quelle que fût ma rage, c'est quand même lui
qui l'emporta. Je ne tins pas plus de quatre jours. Il
commença comme il commençait toujours en pareil
cas, parce que des cas pareils, ou des tentatives
pareilles, s'étaient déjà produits (et je ferai remarquer
que je savais tout cela d'avance, je connaissais par
cœur son ignoble tactique), à savoir : il commençait
par fixer sur moi un regard extraordinairement sévère
qu'il ne détachait pas avant plusieurs minutes, surtout
lorsqu'il venait m'ouvrir ou m'accompagnait jusqu'à
la sortie. Si, par exemple, je tenais bon et faisais mine
de ne pas m'en apercevoir, il passait, toujours muet, à
d'autres supplices : soudain, sans raison apparente, il
entrait d'un pas souple et feutré dans ma chambre,
tandis que j'y déambulais ou que je lisais, s'arrêtait
près de la porte, passait une main derrière son dos,

avançait la jambe et braquait sur moi un regard où la sévérité avait fait place au mépris. Si je lui demandais ce qu'il voulait, au lieu de répondre, il me vrillait des yeux quelques secondes de plus, puis, avec un pli particulier des lèvres et un air plein de sous-entendus, il faisait lentement demi-tour et s'en allait du même pas imposant dans sa chambre. Deux heures plus tard, il en sortait et faisait une nouvelle apparition dans la mienne. Il arrivait que, furibond, je ne lui demande même plus ce qu'il voulait, mais que tout simplement, moi aussi, je lève la tête d'un mouvement brusque et impérieux et rive également mon regard sur lui. Il nous arrivait parfois de nous regarder ainsi deux minutes de suite ; enfin, il tournait les talons lentement, solennellement et quittait la pièce pour deux nouvelles heures.

Si cela n'avait pas suffi à m'amener à résipiscence et si je me mutinais encore, il se mettait à pousser, me mirant toujours, de longs et profonds soupirs qui semblaient à eux seuls mesurer tout l'abîme de ma déchéance morale et, bien entendu, il devenait finalement maître absolu de la situation : j'enrageais, je criais, mais pour le fond de l'affaire, j'étais bien obligé de m'exécuter.

Cependant, cette fois-ci, à peine l'habituelle manœuvre du « regard sévère » avait-elle commencé, je sortis de mes gonds et, écumant de rage, me jetai sur lui. J'étais déjà bien assez irrité comme ça.

— Arrête ! m'écriai-je au comble de la rage, au moment où, lentement et sans rien dire, une main derrière le dos, il pivotait sur ses talons pour retourner chez lui, — arrête, reviens ! Reviens, je te dis !

J'ai dû rugir, d'une façon si inaccoutumée qu'il s'est retourné et m'a dévisagé d'un air plutôt surpris. Il continuait à se taire, et c'est bien ça qui me mettait hors de moi.

— Comment oses-tu entrer chez moi sans en demander la permission et me regarder comme ça ? Réponds !

Mais il me regarda une demi-minute sans rien

perdre de son calme et poursuivit son mouvement de rotation.

— Arrête ! ai-je hurlé en courant à lui. Pas un geste ! Bien. Et maintenant, réponds : qu'est-ce que tu étais venu voir.

— Si Monsieur a des ordres à me donner, à c't'heure, mon devoir est de les exécuter, répondit-il après un nouveau silence, en zézayant de sa voix douce et mesurée, les sourcils relevés et hochant posément la tête à droite, puis à gauche, tout ça avec un calme exaspérant.

— Ce n'est pas ça ! Ce n'est pas ça que je te demande, bourreau ! criai-je, tout frémissant de rage. Je vais te le dire moi-même, bourreau, ce que tu viens chercher ici : tu vois que je ne te donne pas tes gages ; par fierté, tu ne veux pas t'abaisser à me les demander, et c'est pour ça que tu viens me punir, me tourmenter avec tes regards bêtes, sans ent-trevoir, bourreau ! à quel point c'est bête, bête, bête, bête, bête !

Il allait, une fois de plus, se retourner sans rien dire, mais je m'empoignai et lui criai :

— Écoute. Voilà ton argent, tu vois : le voilà ! (je l'avais sorti d'une petite table). Les sept roubles au complet ! Mais tu ne les auras pas, tu ne les au-auras pas tant que tu ne seras pas venu, respectueusement et tête basse, me demander pardon. Tu entends !

— Ça n'est pas possible, répondit-il avec une assurance feinte.

— Il le faudra ! m'écriai-je, je t'en donne ma parole d'honneur, il le faudra !

— Mais je n'ai pas à vous demander de pardon, poursuivit-il comme si mes cris avaient totalement échappé à son attention, parce que c'est vous qui m'avez traité de « bourreau », et que pour ça, je peux toujours porter plainte au commissariat.

— Vas-y ! Dépose-la ! hurlai-je, vas-y tout de suite, à la minute, à l'instant même. Mais tu es quand même un bourreau ! un bourreau ! un bourreau !

Il se contenta de me regarder, puis il me tourna le

dos et, sans prêter l'oreille à mes appels, il repartit chez lui d'un pas égal, imperturbable.

« Sans Lisa, rien de tout cela ne serait arrivé », tranchai-je en moi-même. Puis, après un court instant d'immobilité, j'allais d'un pas grave et solennel, mais le cœur battant à grands coups, le chercher moi-même derrière son paravent.

— Apollon, dis-je doucement, en prenant mon temps, mais en suffoquant quand même, va incessamment et sur l'heure chercher le commissaire.

Il avait déjà eu le temps de s'installer à sa table, de chausser ses lunettes et de prendre sa couture. Mais en entendant ma mise en demeure, il pouffa brusquement de rire.

— Vas-y immédiatement, à l'instant même ! Vas-y ou tu ne te rends pas compte de ce qui va se passer.

— Vous avez perdu l'esprit, c'est très net, observat-il sans même lever la tête, en zézayant toujours avec la même lenteur et en continuant à enfiler son aiguille. Où a-t-on jamais vu un homme aller chercher lui-même les autorités qui s'en prendront à lui ? Et question de me faire peur, Monsieur a bien tort de s'égosiller, vu que ça ne donnera rien.

— Vas-y ! glapissai-je en l'attrapant à l'épaule.

Et je sentais que j'allais le battre. Je n'entendis même pas la porte d'entrée s'ouvrir à ce moment précis, lentement et sans bruit, pas plus que je n'aperçus la silhouette qui pénétrait dans la pièce et, complètement abasourdie, nous parcourait du regard. Je levai les yeux, la honte me saisit et je m'élançai dans ma chambre. Là, m'attrapant les cheveux à deux mains, j'appuyai la tête contre le mur et demeurai pétrifié dans cette attitude.

Deux minutes plus tard, j'entendis la lente démarche d'Apollon.

— Y a une *personne* qui vous demande, dit-il en me regardant d'un air particulièrement sévère, après quoi, il s'effaça pour laisser passer... Lisa.

Il ne voulait pas s'en aller et nous considérait d'un air ironique.

— Va-t'en ! va-t'en ! ordonnai-je ne sachant plus
où j'en étais.

A ce moment précis, le ressort de ma pendule, ban-
dant toutes ses forces, chuinta sept coups.

IX

Et dans ma maison, entre hardiment,
Entre librement, en maîtresse absolue !

Je me tenais devant elle, effondré, publiquement
déshonoré, odieusement gêné ; je crois que je souriais,
et que je faisais tous mes efforts pour me draper dans
les pans de ma misérable robe de chambre en pilou —
enfin, point pour point comme je me l'étais imaginé
tout récemment, dans un moment de découragement.
Après nous avoir considérés quelques instants,
Apollon est parti, mais cela ne m'a pas soulagé. Le
pire de tout, c'est qu'elle aussi, tout à coup, elle a
perdu contenance, bien plus que je l'aurais imaginé. A
me voir tel que j'étais, bien entendu.

— Assieds-toi, lui ai-je dit machinalement en lui
avançant un siège près de la table et m'asseyant moi-
même sur le divan. Elle m'a obéi aussitôt et, docile-
ment, elle s'est assise ; elle me regardait de tous ses
yeux ; elle attendait quelque chose de moi, c'était évident. La naïveté de cette attente m'a mis en rage, mais
je me suis contenu.

Là, j'aurais dû m'efforcer de ne rien voir, de faire
comme si tout était normal, mais elle... Et j'ai confu-
sément senti qu'elle me paierait *tout cela*, et très cher.

— Tu me trouves dans une curieuse situation,
Lisa, ai-je commencé en bégayant ; je savais très
bien que c'était justement ce qu'il ne fallait pas dire.

— Non, non, ne vas pas croire des choses ! me
suis-je écrié en la voyant s'empourprer, je n'ai pas
honte de ma pauvreté... Au contraire, ma pauvreté,

j'en suis fier. Je suis pauvre, mais digne... On peut être pauvre et digne, marmottais-je. Au fait... tu veux du thé ?

— Non... allait-elle protester.

— Attends.

J'ai bondi et me suis précipité chez Apollon. Il fallait bien trouver un moyen de me volatiliser.

— Apollon, ai-je chuchoté avec une hâte fébrile en jetant devant lui les sept roubles que j'avais, pendant tout ce temps, gardés dans mon poing, — voici tes gages ; tu vois, je te paye ; mais pour la peine, tu dois me sauver : rapporte-moi immédiatement du thé et dix biscuits de l'auberge. Si tu refuses d'y aller, tu vas faire le malheur d'un homme ! Tu ne sais pas quelle femme c'est ... Elle est tout ! Tu te fais peut-être des idées... Mais tu ne sais pas ce que c'est que cette femme.

Apollon, qui s'était remis à l'ouvrage et avait rechaussé ses lunettes, a d'abord louché sur l'argent sans abandonner son aiguille et sans dire un mot ; puis, négligeant totalement ma présence et omettant toujours de me répondre, il a continué à tâtonner après le chas de son aiguille. Je suis bien resté trois minutes à l'attendre, debout, les bras croisés *à la Napoléon**. J'avais les tempes moites, j'étais blême, et je le sentais. Dieu merci, à me voir comme ça, il a dû me prendre en pitié. Quand il en a eu fini avec son fil, il s'est lentement levé, il a lentement repoussé sa chaise, lentement retiré ses lunettes, lentement recompté son argent, puis enfin, après m'avoir demandé par-dessus l'épaule s'il fallait prendre un pot de thé complet, il a lentement quitté la pièce. En allant retrouver Lisa, je me suis demandé si je ne ferais pas mieux de déguerpir comme j'étais, dans ma vilaine robe de chambre, droit devant moi, et après, advienne que pourra !

Je me suis rassis. Elle me regardait avec inquiétude. Nous sommes restés plusieurs minutes sans rien nous dire.

— Je vais le tuer ! ai-je crié soudain en abattant le

poing sur la table avec une telle violence que l'encre a
jailli de l'encrier.

— Mon Dieu, qu'avez-vous ! s'est-elle exclamée en
tressaillant.

— Je vais le tuer ! Je vais le tuer ! glapissais-je en
faisant grêler les coups de poing sur la table dans un
accès de fureur totale, mais comprenant totalement
comme il était bête de se laisser aller à cette fureur.

— Lisa, tu ne sais pas ce qu'est ce bourreau pour
moi. Il est mon bourreau... Il est allé chercher les
biscuits, il...

Et tout à coup, j'ai éclaté en sanglots. C'était une
crise de nerfs. Entre deux hoquets, il me venait des
bouffées de honte. Mais je ne pouvais plus me retenir.

Elle a pris peur. « Qu'avez-vous ? mais qu'avez-
vous ? » criait-elle en s'affairant autour de moi.

— Donne-moi de l'eau... là-bas... bafouillais-je
d'une voix affaiblie, parfaitement conscient, d'ailleurs,
au fond de moi-même, que j'aurais très bien pu me
passer d'eau et ne pas bafouiller de cette voix affaiblie.
Je faisais ce qu'on appelle un *numéro* pour sauver les
apparences, mais la crise était quand même réelle.

Elle m'a tendu un verre d'eau ; elle me regardait
d'un air complètement perdu. A ce moment, Apollon
nous a apporté le thé. Il m'a soudain semblé que ce
thé, ordinaire et prosaïque, était affreusement,
inconvenant, misérable, après tout ce qui s'était produit, et j'ai rougi. Lisa regardait Apollon avec une
sorte de crainte. Il est sorti sans avoir jeté un regard
sur nous.

— Lisa, tu me méprises ? ai-je dit ; je la dévisageais
et je tremblais de l'impatience de connaître sa pensée.

Elle s'est trouvée toute penaude et n'a pas su me
répondre.

— Bois ton thé, ai-je dit d'un ton rageur.

J'étais furieux après moi-même mais, bien entendu,
c'était elle qui devait payer les pots cassés. Une rage
épouvantable contre elle a soudain bouillonné dans
mon cœur ; je crois bien que je l'aurais tuée. Histoire
de me venger, je me suis juré de ne plus lui adresser

un mot de toute la soirée. « Elle est la cause de tout »,
me disais-je.

Cela faisait déjà cinq minutes que nous nous tai-
sions. Le thé était sur la table ; nous ne le touchions
pas : j'en étais arrivé à ne pas vouloir m'y mettre afin
de rendre sa position encore plus pénible ; et elle
aurait été gênée de commencer la première. Elle me
regarda plusieurs fois avec un étonnement attristé. Je
me taisais obstinément. C'était moi qui souffrais le
plus, bien sûr, car j'étais tout à fait conscient de l'abjecte bassesse de ma hargne et de ma bêtise, mais, en
même temps, j'étais absolument incapable de me
retenir.

— Je veux m'en aller... définitivement... de là-bas,
a-t-elle commencé pour tenter de rompre le silence,
mais, la pauvre ! il ne fallait justement pas commencer
par là à un moment aussi bête, s'adressant à un
homme comme moi, déjà bien assez bête comme ça.
Le cœur me poignit de pitié devant sa maladresse et
son inutile droiture. Mais cette pitié, quelque chose de
monstrueux l'étouffa aussitôt ; et même m'excita
encore davantage : et que tout aille au diable. Cinq
nouvelles minutes se sont écoulées.

— Je ne vous ai pas dérangé ? a-t-elle timidement
commencé d'une voix imperceptible ; elle a fait le
geste de se lever.

Mais à peine ai-je aperçu cette première flambée de
fierté blessée, que je me suis mis à trembler de rage et
que j'ai aussitôt explosé :

— Dis-moi un peu pourquoi tu es venue ici, s'il te
plaît ? ai-je proféré, haletant, et sans tenir compte de
l'ordre logique de mes paroles. Je voulais tout lui dire
d'un coup, d'un trait ; et peu m'importait par quel
bout commencer.

— Pourquoi es-tu venue ici ? Réponds ! Réponds !
glapissais-je, me rendant à peine compte de ce que je
faisais. Je vais te le dire, ma petite. Tu es venue parce
que l'autre jour, je t'ai fait des *paroles d'apitoiement*.
Alors, tu t'es attendrie et tu en as eu envie de nouveau
de ces « paroles d'apitoiement ». Eh bien, apprends,

ma petite, que ce jour-là, c'était pure dérision. Aujourd'hui aussi. Qu'est-ce que tu as à trembler ? Oui, je me suis moqué de toi. Et je m'en moque encore. On venait de m'offenser, à un dîner. Ceux qui sont arrivés avant moi. J'étais venu dans l'intention de corriger l'un d'eux, l'officier ; seulement ça a raté, il n'était plus là ; il fallait bien que je passe mon humiliation sur quelqu'un, que j'arrive à mes fins, c'est toi qui t'es trouvée là, c'est sur toi que j'ai déversé ma rage, de toi que je me suis moqué. On m'avait bafoué, je voulais bafouer à mon tour ; on m'avais traité en chiffe molle, j'ai voulu à mon tour exercer mon empire... Voilà l'affaire. Et toi, tu t'es imaginé que j'étais venu exprès pour te sauver, oui ? C'est ça que tu as cru ? C'est ça que tu t'es imaginé ?

Les détails, je savais qu'elle risquait de s'y embrouiller et de ne pas les comprendre ; mais je savais aussi qu'elle comprendrait parfaitement le fond de l'affaire. Et c'est bien ce qui s'est produit. Elle est devenue pâle comme un linge, ses lèvres se sont tordues dans une douloureuse grimace, elle a voulu dire quelque chose, mais elle s'est effondrée sur sa chaise comme abattue d'un coup de hache. Ensuite elle a écouté tout mon discours, la bouche ouverte, les yeux dilatés et tremblant d'une peur affreuse. C'était le cynisme de mes paroles qui l'avait ainsi écrasée...

— Te sauver ! ai-je poursuivi en me levant en sursaut et en courant à travers la chambre. Te sauver de quoi ? Je suis peut-être pire que toi, hein ? Pourquoi ne m'as-tu pas jeté à la gueule, alors que je t'infligeais mon long sermon : « Et toi, qu'est-ce que tu viens faire ici ? Nous faire la morale, des fois ? » C'est de puissance que j'avais besoin, ce jour-là, j'avais besoin de jouer, de te pousser jusqu'aux larmes, de te rabaisser, de provoquer tes sanglots — voilà de quoi j'avais besoin, ce jour-là ! Moi non plus, d'ailleurs, je ne l'ai pas supporté, parce que je suis un moins que rien, que j'ai eu la venette et cette bon Dieu d'idée de te donner mon adresse. Seulement après, je n'étais pas encore rentré chez moi que je te traitais déjà de tous les noms, à cause de cette adresse. Je te détestais déjà parce que je t'avais menti. Parce que moi, il me suffit de jouer en paroles, de rêvasser, mais en réalité, tu sais de quoi j'ai besoin : que vous alliez tous au diable ! Voilà ! J'ai besoin de paix. Pour qu'on me laisse tranquille, mais je serais prêt à vendre incontinent le monde entier pour trois fois rien. Tiens : le monde doit-il aller au diable, ou moi me passer de thé ? Je vais te le dire : le monde peut bien aller au diable pourvu que ma tasse de thé me soit assurée. Tu le savais, ça ? Eh bien moi, je sais que je suis un misérable, un moins que rien, un égoïste, un paresseux. J'ai passé ces trois jours à trembler de peur que tu viennes. Et sais-tu ce qui m'inquiétait le plus, hein ? Je vais te le dire : d'avoir si bien joué les héros devant toi, l'autre jour, et de penser que tu me verrais tout à coup dans cette robe de chambre pleine de trous, misérable, sordide. Je t'ai dit tout à l'heure que je n'avais pas honte de ma pauvreté ; alors, sache que j'en ai honte, honte par-dessus tout, qu'elle me fait plus peur que tout, plus peur que d'avoir volé, parce que je souffre d'une vanité d'écorché et qu'un souffle d'air suffit à me faire mal. Se peut-il que, même à présent, tu n'aies pas encore compris que je ne te pardonnerai jamais de m'avoir trouvé dans cette guenille, au moment précis où je m'en prenais à Apollon ? L'auteur de ta résurrection, ton héros de naguère se jette sur son laquais comme un roquet galeux, hirsute, et l'autre se moque de lui ! Pas plus que je ne te pardonnerai les larmes de tout à l'heure que, pareil à une honteuse femmelette, je n'ai pas pu retenir devant toi ! Et ce que je suis en train de t'avouer, ça non plus, je ne te le pardonnerai jamais, *à toi !* Oui, c'est toi et toi seule qui devras répondre de tout cela, parce que c'est toi qui m'es tombée sous la main, parce que je suis un misérable, parce que je suis le plus dégoûtant, le plus ridicule, le plus mesquin, le plus bête, le plus envieux de tous les vers de terre qui grouillent dans le monde. Ils n'ont rien de mieux que moi, mais ils ne perdent jamais la face, du diable si je sais pourquoi ; tandis que moi, toute la vie, la première vermine venue pourra m'envoyer des pichenettes — je suis comme ça ! Qu'est-ce que tu veux que ça me fasse que tu ne comprennes rien à tout ça ? Et qu'est-ce que j'ai à faire de toi et de savoir si tu es en train de te perdre ? Mais enfin, comprends-tu à quel point, maintenant que je t'ai déballé tout ça, je vais te haïr de t'être trouvée ici et de m'avoir écouté ? C'est qu'on ne se livre ainsi qu'une seule fois dans sa vie, et encore, à la faveur d'une crise de nerfs... Qu'est-ce que tu veux de plus ? Qu'est-ce que tu fiches encore devant mes yeux après tout ça ? Pourquoi me tourmentes-tu ? Pourquoi ne t'en vas-tu pas ?

C'est alors que s'est produit un fait étrange.

J'étais tellement habitué à tout penser et à tout imaginer comme si cela sortait d'un livre et à me représenter le monde entier tels que je l'avais inventé d'avance dans mes rêvasseries, que ce fait étrange, je ne l'ai pas compris tout de suite. Or, voilà ce qui s'est passé : cette Lisa que je venais d'humilier, de bafouer, a compris bien plus de choses que je ne l'avais cru. De tout ce que j'ai dit, elle a retenu ce que retient toute femme animée d'amour sincère, à savoir que, moi aussi, j'étais malheureux.

Sur son visage, la peur et l'offense ont d'abord fait place à un étonnement douloureux. Et lorsque je me suis traité de crapule, de misérable et que mes larmes se sont remises à couler (j'avais débité toute cette tirade avec des larmes) une sorte de convulsion a déformé ses traits. Elle a voulu se lever, m'arrêter ; quand je suis arrivé au bout, ce ne sont pas mes cris qui ont attiré son attention : « Qu'est-ce que tu fais là ? Pourquoi ne t'en vas-tu pas ? » non, mais la peine que je devais éprouver à dire tout cela. Et puis, elle était si effacée, la pauvre ; elle se voyait tellement plus bas que moi ; comment aurait-elle pu se fâcher ou se vexer ? Soudain, dans un élan irrépressible, elle a bondi sur ses pieds, et toute tendue vers moi, mais toujours intimidée et n'osant bouger de place, elle m'a ouvert les bras... Et mon cœur s'est retourné. Alors, elle s'est jetée contre ma poitrine, m'a entouré le cou et a fondu en larmes. Je n'ai pas pu résister, et j'ai éclaté en sanglots tels que je n'en avais encore jamais connus.

— Ils ne me laissent pas. Je n'arrive pas... à être bon ! ai-je articulé avec peine.

Après je suis allé jusqu'au divan, m'y suis laissé tomber la tête la première et ai pleuré un quart d'heure entier, en proie à une crise de nerfs véritable. Elle s'est serrée contre moi, m'a pris dans ses bras, et s'est pour ainsi dire figée dans cet embrassement.

Mais il y avait quand même un *hic*, c'est qu'il fallait bien que cette crise de nerfs s'arrête. Et alors (je vous assure que ce que j'écris est l'ignoble vérité), à plat ventre sur mon divan, et la figure pressée contre mon affreux coussin de cuir, j'ai commencé à sentir peu à peu, de loin, malgré moi, mais irrésistiblement que je me trouverais très gêné de relever la tête et de regarder Lisa en face. De quoi avais-je honte, je ne sais. Mais j'avais honte. Une autre idée a traversé mon esprit troublé, à savoir qu'à présent les rôles étaient définitivement renversés, qu'à présent, c'était elle, l'héroïne, et que moi, j'étais une créature aussi humiliée, aussi bafouée qu'elle l'avait été à mes yeux, l'autre nuit — il y avait de cela quatre jours... Et tout cela m'est venu alors que j'avais encore le nez enfoui dans mon divan !

Mon Dieu, se peut-il qu'à ce moment, je l'aie enviée ?

Je l'ignore et jusqu'à présent, je ne puis en décider ; et sur le moment, j'étais encore plus incapable de m'y retrouver.

C'est que je ne peux pas vivre sans exercer ma puissance et ma tyrannie sur quelqu'un... Mais... mais les raisonnements n'expliquent rien. Donc, inutile de raisonner.

Néanmoins, je me suis surmonté, et j'ai soulevé la tête ; il fallait bien la relever à un moment ou l'autre... Et alors, je suis jusqu'à présent convaincu que justement parce que j'avais honte de la regarder, un autre

sentiment s'est brusquement allumé en moi et m'a
enflammé le cœur... un sentiment de domination et de
possession. Le regard embrasé par la passion, j'ai fortement serré ses mains entre les miennes. Comme je la
haïssais et comme elle m'attirait, chacun de ces sentiments attisant l'autre ! Cela ressemblait presque à une
revanche !... J'ai vu passer sur ses traits d'abord l'étonnement, et peut-être même la peur, mais cela n'a duré
qu'un instant. Elle m'a serré dans ses bras avec une
joie ardente.

X

Un quart d'heure plus tard, je trottais d'un coin de
la pièce à l'autre, frémissant d'impatience, revenant
toutes les trois secondes au paravent et observant Lisa
à travers une fente. Elle était assise par terre, la tête
penchée sur le lit ; je crois qu'elle pleurait. Mais elle
ne s'en allait toujours pas et c'est bien cela qui m'ir-
ritait. Cette fois, elle savait tout. L'outrage auquel je
l'avais livrée était définitif, mais... je n'ai pas besoin de
vous raconter cela. Elle avait deviné que mon élan de
passion était justement une revanche pour moi, une
nouvelle humiliation pour elle, et qu'à mon ancienne
haine, presque sans objet, venait de s'ajouter une
haine désormais *personnelle,* faite *d'envie...* D'ailleurs,
je ne saurais affirmer qu'elle se soit clairement rendu
compte de tout cela ; mais par contre, elle avait parfaitement compris que j'étais un être odieux et surtout
incapable de l'aimer.

Je le sais : on me dira que c'est invraisemblable,
qu'il est invraisemblable d'être aussi méchant, aussi
bête que moi ; on ajoutera encore, ma foi, qu'il est
invraisemblable que je ne l'aie pas aimée ou que je
n'aie pas su au moins accorder sa juste valeur à cet
amour. Pourquoi invraisemblable ? D'abord, j'étais
déjà incapable d'aimer parce que pour moi, je le

répète, aimer, cela signifiait exercer sa tyrannie et dominer moralement. Je n'ai jamais, de toute ma vie, été capable même de me représenter un autre amour et j'en suis arrivé au point de me dire parfois qu'aimer, cela consiste justement à accorder volontairement à qui vous aime le droit de vous tyranniser. Même dans mes songeries souterraines, je ne me représentais l'amour que sous forme d'une lutte qui commençait toujours par la haine et débouchait sur la domination morale ; mais après, je ne voyais pas du tout ce que je ferais de l'objet dominé. Et que peut-il y avoir d'invraisemblable, si j'en suis arrivé à un tel degré de dépravation, si je me suis tellement déshabitué de la « vie vivante », que tout à l'heure j'ai inventé de lui reprocher, de lui faire honte d'être venue chercher des « paroles d'apitoiement » ; et que moi, je n'ai pas été fichu de deviner qu'elle n'était pas venue pour cela, mais pour m'aimer parce que pour la femme, sa résurrection, son salut — quel que soit le degré de perdition où elle se trouve, — sa renaissance, résident dans l'amour, et ne peuvent se manifester autrement que par lui. Dans le fond, je ne peux pas dire que je la détestais vraiment tant que cela tandis que je tournais et virais dans ma chambre entre deux coups d'œil derrière le paravent. Simplement il m'était insupportable de la savoir là. Je voulais qu'elle disparaisse. Je voulais la « paix », rester seul dans mon souterrain. Faute d'habitude, je me sentais à tel point accablé par la « vie vivante », que j'en avais de la peine à respirer.

Quelques minutes s'écoulèrent encore, elle ne se relevait pas, à croire qu'elle était privée de sentiment. J'ai eu le geste éhonté d'aller frapper au paravent, afin de lui rappeler... Elle est brusquement sortie de son immobilité, a bondi, a rassemblé en hâte son châle, son petit chapeau, son manteau, exactement comme si elle voulait me fuir... Deux minutes plus tard, elle sortait de derrière le paravent et posait sur moi un regard très lourd. J'ai ricané méchamment — non sans effort, d'ailleurs, — *par respect des convenances* et me suis détourné.

— Adieu ! a-t-elle articulé en se dirigeant vers la porte.

J'ai brusquement couru à elle, j'ai saisi son poing, je l'ai desserré, j'y ai fourré un..., puis je l'ai refermé. Aussitôt après, je me suis détourné, précipité dans le coin opposé de la pièce, au moins pour ne rien voir...

A l'instant même, j'ai failli mentir, écrire que j'avais fait cela sans le vouloir, dans un moment d'inconscience, parce que j'avais perdu la tête, par bêtise. Mais je ne veux pas mentir, c'est pourquoi je vous dis tout de go que j'ai desserré son poing et que j'y ai fourré un... par pure méchanceté. L'idée m'en était venue pendant que je faisais les cent pas et qu'elle s'attardait derrière le paravent. Mais ce que je peux vous affirmer, c'est que même si ma cruauté était volontaire, elle ne venait pas du cœur, mais de ma mauvaise tête. Cette cruauté était à ce point artificielle, à ce point cérébrale, factice, livresque, que je n'ai pas pu tenir une minute : d'abord je m'étais réfugié dans mon coin pour ne rien voir, à présent, plein de honte et de désespoir, je m'élançais sur les traces de Lisa. J'ai ouvert la porte de l'entrée et tendu l'oreille.

— Lisa ! Lisa ! ai-je crié dans l'escalier, mais timidement, à mi-voix...

Il n'y a pas eu de réponse, j'ai cru entendre ses pas sur les dernières marches.

— Lisa ! ai-je crié plus fort.

Pas de réponse. Au même instant, j'ai entendu la porte vitrée qui donnait, en bas, sur le dehors — elle était très dure — s'ouvrir en grinçant lourdement, puis retomber en réveillant les échos de l'escalier.

Elle était partie. J'ai regagné ma chambre tout songeur. J'étais très malheureux.

Je me suis arrêté près de la table, à côté de la chaise où elle s'était assise, et j'ai regardé droit devant moi, sans penser à rien. Une minute peut-être s'était écoulée lorsque j'ai tressailli des pieds à la tête : droit devant moi, sur la table, il y avait... bref, il y avait un billet de cinq roubles, bleu, froissé, celui-là même sur lequel je venais de lui refermer la main. C'était bien *ce* billet ; cela ne pouvait pas en être un autre ; d'autre, il n'y en avait pas, dans la maison. Elle avait donc trouvé le temps de le jeter sur la table au moment où je me précipitais à l'autre bout de la pièce.

Et alors ? Je pouvais m'attendre qu'elle le ferait. Pouvais-je m'y attendre ? Non. J'étais un tel égoïste, je méprisais à tel point les gens que je n'imaginais même pas qu'une fille comme elle ferait cela. Et ça, je n'ai pas pu le supporter. Je me suis jeté comme un fou sur mes vêtements, j'ai enfilé ce que je trouvais au petit bonheur et suis parti à sa recherche comme une flèche. Elle n'avait pas eu le temps de faire deux cents pas, que j'étais dehors.

Tout était calme, la neige tombait presque verticalement, posant sur le trottoir et sur la chaussée déserte son épais coussin. Il n'y avait pas un passant, pas un bruit. Les réverbères clignotaient tristement et sans utilité. Je courus jusqu'au carrefour, à deux cents pas, puis je m'arrêtais : « Où est-elle allée ? pourquoi lui courir après ? »

Pourquoi ? Pour tomber à genoux devant elle, éclater en sanglots de repentir, lui baiser les pieds, implorer son pardon ! Et c'est bien cela que je voulais ; ma poitrine tout entière éclatait et jamais, jamais je ne pourrai évoquer cet instant avec indifférence. « Mais — pourquoi faire ? me suis-je dit. Comme si je n'allais pas la haïr, dès demain peut-être, justement parce qu'aujourd'hui je lui aurai baisé les pieds ! Comme si je pouvais lui apporter le bonheur ! Comme si, aujourd'hui encore, pour la centième fois, je n'avais pas mesuré ce que je valais ! Comme si je n'allais pas la tourmenter à mort ! »

J'étais là, dans la neige, à scruter son voile laiteux et à me dire tout cela.

« Et ne vaut-il vraiment pas mieux, brodais-je, déjà rentré chez moi, brodais-je pour étouffer la douleur vivante qui me poignait le cœur, ne vaut-il vraiment pas mieux qu'elle emporte à jamais cette offense avec elle ? Une offense, mais voyons ! c'est la purification ; c'est la plus âpre, la plus douloureuse des marques de conscience ! Dès demain, j'aurais souillé son âme et lassé son cœur. Mais l'offense, plus jamais elle ne s'éteindrait en elle, et aussi infecte soit la boue qui l'attend, l'offense l'élèvera, la purifiera... par la haine... heu... et peut-être par le pardon... Mais dans le fond, tout cela soulagera-t-il son sort ? »

Non mais vraiment ! Me voilà en train de me poser des questions oiseuses ; qu'est-ce qui vaut mieux — un bonheur de pacotille ou de nobles souffrances ? Allons ! Dites voir : qu'est-ce qui vaut mieux ?

Voilà ce qui m'a hanté, ce soir, où à moitié mort de douleur morale je suis resté enfermé chez moi. Jamais encore je n'avais eu à supporter une telle souffrance et de tels remords ; mais, lorsque je m'étais précipité dehors, pouvait-il y avoir le moindre doute, que je ferais demi-tour à mi-chemin ? Je n'ai plus jamais revu Lisa ni entendu parler d'elle. J'ajoute également que je suis resté fort longtemps satisfait de ma *phrase* sur les avantages de l'offense et de la haine, bien que j'aie failli, à l'époque, tomber malade d'angoisse.

Et même maintenant, après tant d'années, tout cela me revient sous un jour trop *écœurant*. Il y a beaucoup de choses qui me reviennent sous un jour écœurant, mais... ne devrais-je pas arrêter là ces « Notes » ? Je crois que j'ai eu tort de vouloir les écrire. Du moins, la honte ne m'a pas quitté aussi longtemps que j'ai rédigé cette *nouvelle :* c'est donc que ce n'est plus de la littérature, mais une peine, un châtiment. Car faire, par exemple, une longue nouvelle sur la façon dont j'ai raté ma vie dans mon coin, à force de perversion morale, d'isolation, de déshabitude du vivant, à force d'accumuler, dans mon souterrain, la vanité et la rage — cela serait sans intérêt, je vous l'assure ; pour un roman, il faut un héros, or ici, j'ai rassemblé *exprès* tous les traits de l'anti-héros, et surtout, cela produira une impression tout ce qu'il y a de déplaisante, parce que nous nous sommes tous déshabitués de vivre, que nous sommes tous devenus boiteux, les uns plus, les autres moins. Nous nous en sommes à tel point déshabitués, que parfois, nous ressentons une sorte de répulsion devant la « vie vivante », et par conséquent nous détestons qu'on nous rappelle son existence. C'est que nous en sommes arrivés au point que c'est tout juste si nous ne considérons pas la « vie vivante » comme un labeur, presque une fonction publique, et que dans notre for intérieur nous sommes tous d'accord qu'à la façon des livres, c'est mieux. Alors, qu'est-ce qui nous prend, parfois, de nous agiter, de nous livrer à des extravagances, de demander je ne sais quoi ? Nous n'en savons rien nous-mêmes. Car, si l'on satisfaisait nos extravagantes demandes, c'est nous qui en pâtirions. Essayez voir, par exemple, essayez donc de nous donner un peu plus d'indépendance, déliez les mains à n'importe lequel d'entre nous, agrandissez le cercle de nos activités, assouplissez votre tutelle, et nous... mais je vous l'assure : nous vous la redemanderons aussitôt, votre tutelle. Je sais que vous allez peut-être m'en vouloir de vous dire cela, que vous allez peut-être crier, trépigner : « Contentez-vous de parler de vous-même, pour ainsi dire et de vos propres *misères**, dans votre souterrain, mais de là, défense de dire « *nous tous !* » Permettez, messieurs, je ne me sers pas de ce « *nous tous* » pour me justifier. En ce qui me concerne personnellement, j'ai simplement poussé jusqu'à l'extrême limite, dans ma propre vie ce que vous n'avez jamais osé pousser même à moitié, et encore, en prenant votre frousse pour de la raison, ce qui vous servait de consolation, alors qu'en fait, vous vous trompiez vous-mêmes. Si bien que finalement, je parais plus vivant que vous. Mais regardez donc plus attentivement ! C'est que nous ne savons même plus où le vivant est demeuré vivant, ce qu'il est, comment il s'appelle. Laissez-nous seuls, sans livres, et aussitôt, nous nous embrouillerons, nous nous perdrons : nous ne saurons plus à quoi nous raccrocher, à quoi nous tenir ; qu'aimer et que haïr, que respecter et que mépriser. Nous en sommes au point d'être las d'être des hommes, des hommes pourvus de vraie chair et de vrai sang qui ne sont qu'à *eux seuls ;* nous en avons honte, nous le considérons comme un déshonneur et aspirons à nous confondre au sein d'une « humanité » abstraite qui n'a jamais existé. Nous sommes des êtres morts-nés ; d'ailleurs, cela fait longtemps que nous ne naissons plus de parents vivants, ce qui, dans le fond, nous satisfait chaque jour davantage. Nous y prenons goût. Bientôt, nous aurons inventé le moyen de naître d'une idée. Mais j'en ai assez ! Je ne veux plus écrire de mon « Souterrain ».

En réalité, les « notes » de cet amateur de paradoxes ne s'achèvent pas ici. Incapable de résister, il les a continuées. Mais il nous semble, à nous aussi, qu'on peut s'en tenir là.

NOTES

1. Cette conception conjointe remonte au traité de Kant *Observations sur le sentiment du beau et du sublime (Beobachtungen über das Gefühl des Schönen und Erhabenen)* ; l'expression fut fort à la mode dans le monde de la critique russe, entre 1830 et 1850.

2. Dans le même contexte, un Français ne dirait jamais « chez nous », mais « en France ». Il y a là toute une psychologie de masse — le Russe s'identifiant à son pays, le Français restant sur sa réserve — qu'il est bon d'avoir présente à l'esprit.

3. En français dans le texte, citation condensée des *Confessions* de Rousseau : « Je veux montrer à mes semblables un homme dans toute la vérité de sa nature. »

4. Tous les mots qu'on trouvera par la suite en italique et suivis d'un astérisque sont en français dans le texte.

5. *L'Origine des espèces* de Darwin parut en russe en 1864 et provoqua des discussions passionnées dans la presse. Le ton vulgaire et vulgarisateur qu'emploie ici Dostoïevski est le reflet de son opposition au matérialisme.

6. Il y avait à l'époque plusieurs dentistes de ce nom (par simple homonymie) dont la réclame paraissait très souvent dans les journaux de Pétersbourg.

7. Formule critique classique des Slavophiles à l'encontre des Occidentalistes.

8. Il s'agit probablement d'une allusion à la Cène de N. Gay (1831-1894), peintre russe d'origine française qui figura au Salon d'Automne de 1863. Le réalisme avec lequel était traité ce sujet religieux souleva une vive polémique dans la presse. Plus tard, en 1873, Dostoïevski devait écrire dans son *Journal d'un écrivain* : « Ce qui ressort du tableau [...] de M. Gay [...], c'est le faux-semblant et les idées préconçues. Or, le faux-semblant est mensonge et n'a rien de commun avec le réalisme », *Œuvres littéraires complètes*. En russe, t. XI, p. 79.

9. Titre d'un article de Chtchrédrine paru dans le *Contemporain (Sovrémennik)*, 1863, N° 7, voir *Œuvres complètes*. En russe, t. VI, pp. 393 à 429.

10. C'est là une polémique avec Tchernychevski qui, dans son article *Du principe anthropologique en philosophie* (1860), affirme : « Seules les bonnes actions sont gagnantes ; n'est raisonnable que celui qui est bon, et dans la mesure où il est bon » *Œuvres complètes*. En russe, 1950, t. VII, p. 29.

11. Cette idée est développée par Buckle (1821-1862), l'historien anglais, dans son *Histoire de la civilisation en Angleterre*. Publiée en russe de 1864 à 1866, elle connut, parmi l'intelligentsia avancée un grand retentissement.

12. Allusion à la guerre pour la possession de ce duché qui opposa en 1863-1864 le Danemark à la Prusse et à l'Autriche.

13. Allusion à *Que faire ?*, roman de Tchernychevski où l'auteur décrit un superbe bâtiment « de fer et de cristal » et brosse le tableau de la vie socialiste à venir *(Le quatrième rêve de Véra Pavlovna)*.

14. L'Oiseau de Feu dans la tradition tatar.

15. (1788-1886). Auteur médiocre qui servit de cible permanente aux lazzi des journalistes entre 1850 et 1870.

16. Cette idée est longuement reprise et développée par Tchékhov dans sa nouvelle *Lueurs*, 1888.

17. La critique des années 1840 observait que chez les écrivains de l'école « naturaliste », la neige fondue apparaissait comme un trait caractéristique du paysage pétersbourgeois.

18. Ce poème date de 1846 et est consacré à la « femme déchue » ; il fut tenu en haute estime dans le groupe de Biélinski, parmi les partisans de Pétrachevski, puis plus tard, chez les démocrates des années 60.

19. Jeu de cartes ressemblant au bridge et, comme lui, dérivé du whist.

20. Personnage de la deuxième partie des *Ames mortes* de Gogol.

21. Vieux domestique-précepteur, héros d'*Une histoire ordinaire* de Gontcharov.

22. Voir le *Journal d'un fou* de Gogol : Poprichtchine se prend, à un moment, pour le roi d'Espagne.

23. Personnage de *La Perspective Nevski* de Gogol : ayant reçu une correction, il prétendit se plaindre à ses chefs.

24. Revue libérale (1839-1884) dont la section littéraire publia les œuvres des plus éminents écrivains de cette longue période à commencer par celles de Lermontov. De 1839 à 1848, Biélinski assura la rédaction de presque toutes les pages critiques. De tendance occidentaliste et révolutionnaire, les *Annales de la Patrie* furent interdites par ordre du gouvernement.

25. Un *verckok* : 4,4 cm.

26. Allusion au *Manfred* de Byron, personnage fier et solitaire, très indépendant et vivant au mépris de tout danger.

27. Faut-il rappeler que c'est ainsi que l'on nommait le nombre de serfs et, par conséquent, que l'on situait l'importance d'une propriété ? Plus loin apparaît un prince Kolia qui possède trois mille âmes.

28. Elision populaire de *rouble*.

29. Sous-entendu : « de bouteilles de champagne », usage des bringues mondaines.

30. Jeu de cartes.

31. Sobriquet des cochers des attelages les plus piètres. Ils ne stationnaient pas aux grandes remises mais guettaient le client dans la rue, ce qui était considéré comme de mauvais goût.

32. Personnage du *Coup de feu*, première des *Nouvelles de Bielkine* de Pouchkine.

33. Drame célèbre de cet auteur.

34. On sait que toute la population était répartie par classes, telles que celles des nobles, petits-bourgeois, marchands, paysans, etc.

35. Place aux Foins.

36. Voir note 25.

37. Volkovo est un cimetière du sud de la ville.

38. Nous dirions aujourd'hui *méningite*.

39. Cercueil creusé dans un tronc d'arbre. Les Vieux-Croyants les utilisaient de préférence à d'autres.

40. Dernier vers du poème de Nékrassov cité en exergue de la seconde partie.

BIBLIOGRAPHIE

L'ŒUVRE DE DOSTOIEVSKI

1. *Editions*

a) en russe

On possède enfin une édition vraiment complète de tout ce qu'a écrit Dostoïevski :
— *Polnoe sobranie sočinenij v 30-ti tomah*, Leningrad, « Nauka », 1972-1989, sous la direction de G. M. Fridlender. Comprend les œuvres littéraires, la « publicistique », la correspondance : texte entièrement révisé, énorme apparat critique et bibliographique.

b) en français

— *Œuvres complètes*, Paris, Gallimard, 1931-1940, 13 vol.
— *Les Œuvres littéraires de Dostoïevski*, édition établie par Alexandre V. Soloviev, avec la collaboration de Georges Haldas, Lausanne, Editions Rencontre, 1959 et suiv., 16 volumes.
— *Œuvres*, Paris, Gallimard, Bibliothèque de la Pléiade, 1950-1969, 6 vol. Cette édition inclut les carnets préparatoires à côté des textes définitifs, mais elle ne comporte pas toutes les œuvres.
— *Journal d'un écrivain*, Paris, Gallimard, 1951.
— *Correspondance*, Paris, Calmann-Lévy, 1949-1961, 4 vol.

2. *Critique*

Bibliographie sélective : a) bibliographies ; b) ouvrages
d'érudition ; c) ouvrages de vulgarisation ; d) études de la
poétique de Dostoïevski.

a) bibliographies

A. Pour la littérature en langue russe :
— Dostoevskaja, A.G., *Bibliografičeskij ukazatel' sočinenij i
proizvedenij iskusstva, otnosjaščihsja k žizni i dejatel'nosti F. M.
Dostoevskogo*, SPb, 1903 (couvre la période 1846-1903).
— Sokolov, N.A., « Materialy dlja bibliografii F. M. Dos-
toevskogo », in : *F.M. Dostoevskij. Stat'i i materialy*, Sbornik
II, Leningrad-Moskva, 1924, priloženie, s. 2-122 (couvre la
période 1903-1922).
— Seduro, V., *Dostoevsky in Russian Literary Criticism*, New
York, Columbia University Press, 1957.
— *F.M. Dostoevskij. Bibliografija proizvedenij F. M. Dostoevskogo i literatury o nem, 1917-1965*, Moskva, 1965.
— Belov, S. V., « Bibliografija proizvedenij F. M. Dostoevskogo i literatury o nem 1966-1969 » in : *Dostoevskij i ego
vremja*, Leningrad, « Nauka », 1971, s. 322-353.
— Belov, S. V., « Proizvedenija F. M. Dostoevskogo i literatura o nem 1970-1971 », *Dostoevskij. Materialy i issledovanija*, 1, Leningrad, « Nauka », 1974, s. 305-338.

B. Pour la littérature en langues occidentales :
— Wellek, R., « A Sketch of the History of Dostoevsky Criti-
cism », in : Wellek, R. (ed.), *Dostoevsky, A Collection of Critical
Essays*, Englewood Cliffs, N. J., Prentice Hall Inc., 1962.

b) ouvrages d'érudition

Les deux ouvrages suivants traitent du processus créateur
chez Dostoïevski, en se fondant sur l'étude des manuscrits :
— Čulkov, G., *Kak rabotal Dostoevskij*, Moskva, 1939.
— Dolinin, A.S., *V. tvorčeskoj laboratorii Dostoevskogo (Isto-
rija sozdanija romana « Podrostok »)*, Moskva, 1947.

c) ouvrages de vulgarisation

Ces ouvrages peuvent servir comme livres d'introduction
à l'œuvre de Dostoïevski.

— Gide, A., *Dostoïevski*, Paris, Gallimard, 1964. « Idées » (1re éd., 1923).
— Gide, A., *Dostoïevski : articles et causeries*, Paris, Gallimard, « Les Essais », 1981.
— Troyat, H., *Dostoïevsky*, Paris, Fayard, 1940. Nombreuses rééditions depuis.
— Zweig, S., « Dostoïevski », *Trois maîtres*, Paris, Grasset, 1949.
— Arban, D., *Dostoïevski par lui-même*, Paris, Seuil, « Ecrivains de toujours », 1962.
— Steiner, G., *Tolstoï ou Dostoïevski*, Paris, Seuil, 1963.
— Pascal, P., *Dostoïevski, l'homme et l'œuvre*, Lausanne, L'Age d'Homme, 1970.

d) études de la poétique de Dostoïevski

Cette liste suit l'ordre chronologique de la première publication. Elle est très sélective.
— Strahov, N. N., « Vospominanja o Fedore Mihajloviče Dostoevskom ». V kn. : *Biografija, pis'ma i zametki*, SPb, 1883.
— Čiž, V., *Dostoevskij kak psihopatolog*, Moskva, 1885.
— Annenskij, I.F., *Kniga otraženij*, I-II, SPb, 1906.
— Merežkovskij, D.S., *Prorok russkoj revoljucii*, SPb., 1906.
— Ivanov, V. I., « Dostoevskij i roman-tragedija », *Borozdy i meži*, Moskva, Musaget, 1916, s. 3-60. Traduit en anglais : *Freedom and the tragic life*, London, 1952.
— Šklovskij, V. B., *Za i protiv, zametki o Dostoevskom*, Moskva, 1917.
— Grossman, L., *Tvorčestvo Dostoevskogo* (-Sobranie sočinenij v pjati tomah, t. II, vyp. 2), Moskva, 1928. Recueil d'articles parus précédemment.
— Anciferov, N. P., *Peterburg Dostoevskogo*, Peterburg, Izd. Brokgauz Efron, 1923.
— Askoldov, S., « Psihologija harakterov u Dostoevskogo » in : *F.M. Dostoevskij. Stati'i i materialy*, Sbornik II, Leningrad-Moskva, « Mysl' », 1924.
— Engel'gardt, B., « Ideologičeskij roman Dostoevskogo », dans le même recueil.
— Berdjaev, N., *Mirosozercanie Dostoevskogo*, Praga, 1923. Rééd. : Pariž, Imka-Press, 1968. Traduit en français : *L'Esprit de Dostoïevski*, Paris, Stock, 1945, 1974.
— Davidovič, M., « Problema zanimatel'nosti v romanah Dostoevskogo », in : *Tvorčeskij put' Dostoevskogo*, sbornik statej pod. red. N. L. Brodskogo, Leningrad, « Sejatel », 1924.
— Komarovič, V. L., « Mirovaja garmonija Dostoevskogo »,

Atenej, I-II (1924), s. 112-142. Reproduit dans D. Fanger ed. 1966.

— Meier-Graefe, J., *Dostojewskij der Dichter*, Berlin, 1926.

— Bahtin, M.M., *Problemy tvorčestva Dostoevskogo*, Leningrad, « Priboj », 1929. 2ᶜ édition : *Problemy poétiki Dostoevskogo*, Moskva, « Soveckij pisatel », 1963. Deux traductions en français, à partir de l'édition 1963 : *Problèmes de la poétique de Dostoïevski*, Lausanne, L'Age d'Homme, 1970 ; *La Poétique de Dostoïevski*, Paris, Seuil, 1970.

— Tynjanov, Ju., *Arhaisty i novatory*, Leningrad, 1929.

— Bem, A. L., « Ličnye imena u Dostoevskogo », v. kn. : *Sbornik v čest' na prof. L. Miletič za sedemdesetego godišninata ot roždenieto mu (1863-1933)*, Sofija, 1933, s. 409-434.

— *O Dostoevskom*, sb. statej pod. redakciej A. L. Bema, I-III, Praga, 1929-1936.

— Bem, A. L., *Dostoievskij. Psihoanalitičeskie étjudy*, Praga, 1938. Reprint by Ardis, 1983.

— Bicilli, « K voprosu o vnutrennej forme romana Dostoevskogo », *Godišnik na Sofijskija univ. Istoriko-filologičeski fakultet*, t. XLII, 1945-1946, Sofija, 1946, s. 1-71. Reproduit dans D. Fanger ed. 1966.

— Močul'skij, K., *Dostoevskij. Žizn' i tvorčestvo*, Pariž, Imka-Press, 1947. Traduit en français : Motchoulski, K., *Dostoïevski, l'homme et l'œuvre*, Paris, Payot, 1963.

— Morand, P., *L'Europe russe annoncée par Dostoïevski*, Paris, 1948.

— Arban, D., *Dostoïevski le coupable*, Paris, 1953.

— Matlaw, R. E., « Recurrent Images in Dostoevsky », *Harvard Slavic Studies*, 3 (1957), pp. 201-225.

— Van der Eng, J., *Dostoïevski romancier, Rapports entre sa vision du monde et ses procédés littéraires*, La Haye, Mouton, 1957.

— Grossman, L. « Dostoevskij-hudožnik », in : *Tvorčestvo F. M. Dostoevskogo*, Moskva, AN SSSR, 1959, s. 330-416.

— Girard, R., *Mensonge romantique et vérité romanesque*, Paris, Grasset, 1961.

— Behterev, V. M., « Dostoevskij i hudožestvennaja psihopatologija », *Russkaja literatura*, 1962, nᵛ 4, s. 135-141.

— Zundelovič, Ja. O., *Romany Dostoevskogo. Stat'i*, Taškent, 1963.

— Girard, R., *Dostoïevski, du double à l'unité*, Paris, Plon, 1963.

— Wasiolek, E., *Dostoevsky : The Major Fiction*, Cambridge, Mass., 1964.

— Fridlender, G.M., *Realizm Dostoevskogo*, Moskva, 1964.

— Trubetzkoy, N.S., *Dostoevskij als Künstler*, La Haye, Mouton, 1964.

— Fanger,D., *Dostoevsky and Romantic Realism, A Study of Dostoevsky in relation to Balzac, Dickens and Gogol*, Cambridge, Mass., 1965.
— *Literaturnoe nasledstvo*, t. 77 (1965) ; t. 83 (1971) ; t. 86 (1973).
— Jackson R.-L., *Dostoevsky's Quest for Form. A Study of His Philosophy of Art*, New Haven and London, 1966.
— Fanger, D., ed., *O Dostoevskom*, Brown University Press, Providence, Rhode Island, 1966. Réimpression de quatre articles (P. M. Bicilli, V. L. Komarovič, Ju. Tynjanov, S. I. Gessen).
— Arban, D., *Les Années d'apprentissage de Fiodor Dostoevski*, Paris, Payot, 1968.
— Stepun, F., « Mirosozercanie Dostoevskogo », v kn. : Stepun, F., *Vstreči i razmyšlenija*, Nju Iork, 1968, s. 11-57. 2-oe izdanie : *Vstreči i razmyšlenija. Izbrannye stat'i* pod red. Evgenii Ziglevič, London, OPI, 1992.
— *Dostoievskij i ego vremja*, Leningrad, 1971.
— Skaftymov, A. P., *Nravstvennye iskanija russkih pisatelej*, Moskva, 1972.
— Cahier de *L'Herne*, nᵒ 24, 1973, sous la direction de J. Catteau.
— *F.M. Dostoievskij. Materialy i issledovanija*, Leningrad, 1974-, 1-.
— Vahros, I., « Le "fantastique" dans la conception de Dostoïevski », *Scando Slavica*, Dan., 1975, 21, pp. 25-39.
— Al'tman, M.S., *Dostoievskij po veham imen*, Saratov, 1975.
— Karjakin, Ju., Samoobman Raskolnikova, Moskva, « Hud. lit. », 1976.
— Catteau, J., *La Création littéraire chez Dostoïevski*, Paris, Institut d'Etudes Slaves, 1978.
— Toporov, V. N., « On Dostoevsky's Poetic and Archaic Patterns of Mythological Thought » *New Literary History*, 1978, 9, 2, pp. 333-352, 1rst ed : *Problemy poétiki i istorii literatury*, Saransk, 1973.
— Belov, S. V., *Roman F. M. Dostoevskogo « Prestuplenie i nakazanie » : kommentarij*, Leningrad, 1979. Réédité en 1985.
— *Revue de Littérature Comparée*, « Dostoïevski européen », juillet-décembre 1981, nᵒ 3-4.
— Passage, C. E., *Character Names in Dostoevsky's Fiction*, Ann Arbor, Ardis, 1982.
— Vil'mont, N.N., *Dostoevskij i Siller*, Moskva, 1984.
— Belopol'skij, V. N., *Dostoievskij i filosofskaja mysl' ego épohi*, Rostov, 1987.

NOTES D'UN SOUTERRAIN

1. *Traductions françaises*

Ce texte a été fréquemment traduit, avec des titres toujours différents :
— *L'Esprit souterrain*, traduit et adapté par E. Halpérine et Ch. Morice, Paris, Plon, 1886. — Adaptation revue... par N. Halpérine-Kaminsky, Paris, Plon, 1929.
— *Le Sous-sol*, traduit par J.-W. Bienstock, Paris, Bibl. Charpentier, 1909.
— *La Voix souterraine*, traduit du russe par Boris de Schloezer, Paris, Stock, 1926.
— *Mémoires écrits dans un souterrain*, traduit par Henri Mongault et Marc Laval, Bordeaux, Cadoret-Paris, Bossard, 1926. — Rééditions : Gallimard, 1949 ; Le Club du meilleur livre, 1955.
— « Du fond du souterrain », in : *Nouvelles 1862-1865*, traduites par H. Mongault et L. Désormonts, Paris, Gallimard, 1934.
— « Dans mon souterrain », traduit par Marc Semenoff, Paris, Nouvelles Editions Latines, 1948. — Rééditions : dans *Les Œuvres littéraires...*, Lausanne, Ed. Rencontre, 1960, t. 5 ; Paris, Ed. Baudelaire, 1967 (en un volume avec M. Gorky, *Un premier amour*).
— *Le Sous-sol*, traduit par Boris de Schloezer, in : *Œuvres*, Paris, Gallimard, Bibliothèque de la Pléiade, t. 5, 1956.
— *Le Souterrain*, Paris, Ed. Baudelaire, 1967 (publié, sans nom de traducteur, en un volume avec *Le Joueur*).
— *Notes écrites dans un souterrain*, traduit par André Markowicz, Paris, Babel, 1992.

2. *Commentaires*

A. Ouvrages d'histoire littéraire
— Jackson, R. L., *Dostoevsky's Underground Man in Russian Literature*, La Haye, Mouton, 1958.
— Kirpotin, V., *Dostoevskij v šestidesjatye gody*, Moskva, « Hudožestvennaja literatura », 1966.

B. Etudes particulières

— Skaftymov, A. P., « *Zapiski iz podpol'ja* sredi publicistiki Dostoevskogo », *Slavia*, Praga, 1929-1930, t. VIII, vyp. 1, s. 101-117 ; vyp. 2, s. 312-334. V. kn. ; Skaftymov A.P. 1972, s. 23-87.

— Beardsley, M.C., « Dostoevsky's Metaphor of the "Underground" », *Journal of the History of Ideas*, 3 (1942), pp. 265-290.

— Matlaw, R.E., « Structure and Integration in *Notes from the Underground* », PMLA, 73 (1958), pp. 101-109.

— Frank, J., « Nihilism and *Notes from Underground* », *Sewanee Review*, 69, 1961, pp. 1-33.

— Sturm, E., *Conscience et impuissance chez Dostoïevski et Camus. Parallèle entre « Le Sous-sol » et « La Chute »*, Paris, Nizet, 1967.

— Meserič, I, « Problema muzykal'nosti postroenija v povesti *Zapiski iz podpol'ja* », v sb. : *Dostoevskij i ego vremja*, Leningrad, « Nauka », 1971, s. 154-165.

— Catteau, J., « Du Palais de cristal à l'âge d'or ou les avatars de l'utopie », Cahier de *L'Herne*, nᵒ 24, 1973, pp. 176-195.

— Rice, M. P., « Dostoevsky's *Notes from Underground* and Hegel's *Master and Slave* », *Revue canadienne d'études slaves*, 8, 1974, 3, pp. 359-369.

— Carroll, J., *Break-out from the crystal palace : the anarcho-psychological critique : Sitner, Nietzsche, Dostoevsky*, London, 1974.

— Budanova, N. F., « Podpol'nyj čelovek v rjadu "lišnih ljudej"" », *Russkaja literatura*, 1976, 3, s. 110-122.

— Villadsen, P., *The Underground man and Raskolnikov*, traduit du danois, Odensee, 1981.

— Sicher, E., « By Underground to Crystal Palace : the Dystopian Eden », *Comparative Literature Studies*, 22, 1985, pp. 377-393.

CHRONOLOGIE

30 octobre 1821 : Naissance de Fédor Mikhaïlovitch Dostoïevski.

1844 : Première publication de Dostoïevski : une traduction d'*Eugénie Grandet*.

1846 : Publie *Pauvres Gens, Le Double, Monsieur Prokhartchine, La Logeuse*.

1847 : *Le Roman en neuf lettres*.

1848 : *Un cœur faible, Les Nuits blanches, La Femme d'un autre, Polzounkov, Le Retraité, Un honnête voleur, Noël et les Noces, Le Mari jaloux*.

1849 : *Nétotchka Nezvanova, Le Petit Héros*. Dostoïevski est arrêté pour conspiration, condamné à mort, gracié et envoyé au bagne.

1854 : Sorti du bagne, vit en exil à Sémipalatinsk.

1858 : *Le Bourg Stépantchikovo, Le Rêve de l'oncle*.

1859 : Revient à Pétersbourg.

1861-1863 : Dirige, avec son frère, le journal *Le Temps*.

1861 : *Humiliés et Offensés*.

1862 : *Souvenirs de la maison des morts, Une mauvaise rencontre*.

1863 : *Notes d'hiver sur les impressions d'été*.

1864 : *Notes d'un souterrain*. Dirige le journal *Époque*.

1865 : *Un événement extraordinaire ou ce qui s'est passé dans le Passage.*

1866 : *Le Joueur, Crime et Châtiment.*

1868 : *L'Idiot.*

1870 : *L'Eternel Mari.*

1871 : *Les Démons.*

1873 : Tient une rubrique permanente, intitulée *Journal d'un écrivain*, dans le journal *Le Citoyen.*

1875 : *L'Adolescent.*

1876-1877 : Publie, cette fois tout seul, la revue *Journal d'un écrivain.* Il y inclut parfois des œuvres de fiction comme *La Douce, Le Rêve d'un homme ridicule,* etc.

1879-1880 : *Les Frères Karamazov.*

28 janvier 1881 : Mort de Dostoïevski.

TABLE

NOTES D'UN SOUTERRAIN

GF Flammarion

02/02/92397-II-2002 – Impr. MAURY Eurolivres, 45300 Manchecourt.
N° d'édition FG068304. – Octobre 1992. – Printed in France.